PODRÓŻ
„WĘDROWCA DO ŚWITU"

OPOWIEŚCI z NARNII

LEW, CZAROWNICA
I STARA SZAFA
*
KSIĄŻĘ KASPIAN
*
PODRÓŻ
„WĘDROWCA DO ŚWITU"
*
SREBRNE KRZESŁO
*
KOŃ I JEGO CHŁOPIEC
*
SIOSTRZENIEC CZARODZIEJA
*
OSTATNIA BITWA

C.S. LEWIS

OPOWIEŚCI z NARNII

PODRÓŻ „WĘDROWCA DO ŚWITU"

Ilustrowała Pauline Baynes

*

Przełożył Andrzej Polkowski

MEDIA RODZINA

Tytuł oryginału
THE VOYAGE OF THE *DAWN TREADER*

www.narnia.com

ISBN 978-83-7278-182-6

Przekład poprawiony

Media Rodzina Sp. z o.o.
ul. Pasieka 24, 61-657 Poznań
tel. 61 827 08 60, faks 61 827 08 66
mediarodzina@mediarodzina.pl
www.mediarodzina.pl

Łamanie komputerowe
perfekt, ul. Grunwaldzka 72, 60-311 Poznań, tel. 61 867 12 67
e-mail: dtp@perfekt.pl, http://dtp.perfekt.pl

Druk i oprawa
ABEDIK S.A.

GEOFFREYOWI BARFIELDOWI

PLAN
Wędrowca do Świtu

ROZDZIAŁ 1

Obraz w sypialni

BYŁ RAZ PEWIEN CHŁOPIEC, który nazywał się Eustachy Klarencjusz Scrubb, i trzeba powiedzieć, że raczej na to zasługiwał. Rodzice mówili na niego „Eustachy Klarencjusz", a nauczyciele „Scrubb". Trudno mi powiedzieć, jak go nazywali przyjaciele, ponieważ takich nie miał. Kiedy zwracał się do matki lub ojca, nie mówił „matko" lub „ojcze", ale „Haroldzie" i „Alberto". Byli to ludzie bardzo nowocześni i postępowi. Nie jadali mięsa, nie palili tytoniu i nie pili alkoholu, nosili też specjalną, higieniczną bieliznę. W ich domu było bardzo mało mebli, na łóżkach niewiele pościeli, a okna były zawsze otwarte.

Eustachy Klarencjusz lubił zwierzęta, zwłaszcza żuki, jeśli były martwe i przybite szpilkami do kartonu. Lubił książki, jeśli tylko były pełne tak zwanych informacji oraz zdjęć nowoczesnych zbiorników na zboże albo tłustych, zagranicznych dzieci uczących się we wzorcowych szkołach.

Eustachy Klarencjusz nie lubił swoich kuzynów: Piotra, Zuzanny, Edmunda i Łucji Pevensie, ucieszył się jednak na wieść o przyjeździe Edmunda i Łucji. W głębi serca lubił bowiem przewodzić i pastwić się nad innymi, a chociaż był tylko małym, słabowitym chłopcem, który nie dałby rady nawet Łucji – nie mówiąc już o Edmundzie – wiedział, że jest wiele sposobów dokuczenia ludziom, jeśli się jest w swoim własnym domu, a oni są tylko gośćmi.

Edmund i Łucja wcale nie chcieli przyjeżdżać do wuja Harolda i ciotki Alberty. Nie mieli jednak wyboru. Tego roku ojciec jechał na szesnaście tygodni do

Ameryki. Zaproszono go tam do wygłoszenia cyklu letnich wykładów. Matka zgodziła się jechać razem z nim, jako że od dziesięciu lat nie miała prawdziwych wakacji. Piotr przygotowywał się do trudnego egzaminu i postanowiono, że spędzi lato u starego profesora Kirke, w którego domu czwórka dzieci przeżyła kiedyś – jeszcze w czasie wojny – cudowne przygody. Gdyby Profesor miał wciąż ten wielki, stary dom, na pewno by zaprosił do siebie całą czwórkę. Ale tak się stało, że Profesor nie był już teraz tak zamożny i mieszkał w małym domku, w którym wszyscy by się nie pomieścili. Rodzice nie mogli sobie też pozwolić na zabranie całej czwórki do Ameryki. Pojechała tylko Zuzanna, która była ulubienicą rodziców, choć nie najlepiej się uczyła (była jednak bardzo dojrzała jak na swój wiek). Matka uznała, że „Zuzanna bardziej skorzysta z wyjazdu niż młodsze dzieci". Edmund i Łucja starali się nie zazdrościć siostrze, ale perspektywa spędzenia wakacji u wujostwa wydawała się im bardzo ponura. „A dla mnie to będzie jeszcze gorsze niż dla ciebie – mówił Edmund do Łucji – bo ty przynajmniej będziesz miała swój pokój, a ja będę musiał spać z tym królem wszystkich parszywców, Eustachym".

Wszystko zaczęło się pewnego popołudnia. Byli już w domu wujostwa i zdołali wykraść kilka minut tylko dla siebie. Rozmawiali – rzecz jasna – o Narnii, o ich własnej, tajemnej krainie. Myślę, że większość z nas ma taką swoją tajemną krainę, ale dla większości z nas istnieje ona tylko w wyobraźni. Edmund i Łucja byli pod tym względem szczęśliwsi, ponieważ ich tajemna kraina istniała naprawdę. Odwiedzili ją już dwukrotnie i nie była to wcale zabawa lub sen, lecz najprawdziwsza rzeczywistość. Oczywiście dostali się tam dzięki Czarom, bo tylko dzięki Czarom można się dostać do Narnii. A kiedy Narnię opuszczali, obiecano im, że pewnego dnia do niej powrócą. Możecie więc sobie wyobrazić, że gdy tylko byli sami, rozmawiali o tym wciąż i wciąż.

Siedzieli na brzegu łóżka w sypialni Łucji i patrzyli na obraz wiszący na przeciwległej ścianie. Był to jedyny obraz w tym domu, który im się podobał. Natomiast ciotce Albercie nie podobał się wcale (i dlatego powiesiła go w małym, zwykle nie używanym pokoju na piętrze), ale ponieważ otrzymała go w prezencie ślubnym od kogoś, komu nie chciała zrobić przykrości, nie mogła go wyrzucić.

Na obrazie namalowany był okręt: żaglowiec płynący niemal wprost na patrzącego. Pozłacany dziób miał kształt głowy smoka z szeroko otwartą paszczą. Okręt miał tylko jeden maszt i jeden wielki prostokątny żagiel barwy czystej purpury. Zielone burty zwieńczone były na przodzie złotymi skrzydłami smoka. Dziób zawisł właśnie nad jedną z granatowych fal, której szczyt załamywał się i opadał pienistą kaskadą ku patrzącemu. Widać było, że okręt, pochylony lekko na lewą burtę, płynie chyżo naprzód, gnany silnym wiatrem. (Przy okazji, jeśli macie rzeczywiście zamiar przeczytać tę książkę i jeśli jeszcze tego nie wiecie, to zapamiętajcie, że lewa strona okrętu – gdy patrzy się ku dziobowi – nazywa się bakburtą, a prawa sterburtą). Z tej właśnie strony – od bakburty – padały nań promienie słońca, a woda mieniła się zielenią i purpurą, z drugiej natomiast, ocienionej burtą i żaglem, była granatowa.

– Sam już nie wiem – odezwał się Edmund – czy nie jest jeszcze gorzej PATRZYĆ na okręt z Narnii, kiedy nie można się tam dostać…

– Nawet samo patrzenie jest lepsze niż nic – odpowiedziała Łucja. – Jest tak bardzo narnijski!

– A wy wciąż się bawicie w waszą starą zabawę? – przerwał im nagle Eustachy Klarencjusz, który podsłuchiwał pod drzwiami, a teraz wszedł do pokoju, szczerząc zęby w grymasie, który miał oznaczać uśmiech. W zeszłym roku, kiedy odwiedził kuzynów, udało mu się podsłuchać, jak rozmawiali o Narnii, i odtąd bardzo lubił kpić sobie z tego. Był oczywiście święcie przekonany, że sami to wszystko wymyślili, a ponieważ był za głupi, by też coś wymyślić, bardzo go to drażniło.

– Nikt cię tu nie prosił – powiedział szorstko Edmund.

– Próbuję właśnie ułożyć limeryk – rzekł Eustachy. – Coś w tym rodzaju:

> *Pewne dzieci bawiące się w Narnię*
> *Coraz większy i większy bzik ogarniał...*

– Po pierwsze, NARNIĘ i OGARNIAŁ się nie rymuje – zauważyła Łucja.

– To jest asonans – odrzekł Eustachy.

– Nie pytaj go, co to błazeńskie ple-ple znaczy – powiedział Edmund. – Wyłazi ze skóry, żeby tylko go o to zapytać. Nic nie mów, może sobie pójdzie.

Po takim przyjęciu prawie każdy chłopiec albo by sobie poszedł, albo próbował w jakiś sposób się odciąć. Ale Eustachy nie zrobił ani jednego, ani drugiego. Pochodził trochę po pokoju, szczerząc wciąż zęby, a po jakimś czasie znów się odezwał:

– Podoba się wam ten obraz?

– Na litość boską, Łusiu, nie odpowiadaj, bo zacznie mówić o Sztuce i tak dalej – wtrącił szybko Edmund, lecz Łucja, która była bardzo prostolinijna, odpowiedziała:

– Tak, mnie się podoba. Bardzo mi się podoba.

– Straszny kicz – powiedział Eustachy.

– Jak stąd wyjdziesz, nie będziesz musiał na niego patrzyć – rzekł Edmund.

– A dlaczego ci się podoba? – zapytał Eustachy Łucję.

– Przede wszystkim dlatego, że okręt wygląda tak, jakby rzeczywiście płynął. A woda wygląda, jakby rzeczywiście była mokra. A fale – jakby naprawdę wznosiły się i opadały.

Naturalnie Eustachy miał na to mnóstwo odpowiedzi, ale nie powiedział nic, gdyż właśnie w tym momencie spojrzał na fale i zauważył, że rzeczywiście wyglądają tak, jakby się naprawdę wznosiły i opadały. Tylko raz w życiu płynął statkiem (i to zaledwie na wyspę Wight) i cierpiał wówczas okropnie z powodu choroby morskiej. Kiedy się przyglądał falom na obrazie, zrobiło mu się niedobrze. Odwrócił się (nieco zielony na twarzy), potem spróbował spojrzeć raz jeszcze. I wtedy nie tylko on, ale również Edmund i Łucja zaczęli wpatrywać się w obraz z szeroko otwartymi ustami.

W to, co zobaczyli, trudno uwierzyć, kiedy się o tym czyta, ale prawie tak samo trudno było w to uwierzyć, kiedy się to widziało. Obraz ożył. Nie przypominało to wcale kina: kolory były zbyt prawdziwe i czyste, czuło się też, że wszystko to dzieje się na zewnątrz. Dziób okrętu opadł ciężko w wodę, a potem wzniósł się, wzbijając w powietrze masę pienistych bryzgów. Fala przebiegła wzdłuż burt i dźwignęła rufę tak wysoko, że po raz pierwszy ukazał się na chwilę pokład, a potem znikł, gdy dziób napotkał następną falę. W tej samej chwili leżący obok Edmunda zeszyt zafurkotał, uniósł się, poszybował w powietrzu i pacnął w ścianę. Łucja poczuła, że włosy zawirowały jej wokół twarzy, jakby nagle powiał silny wiatr. I to był wiatr – wiatr wiejący ku nim z obrazu. I nagle z wiatrem przypłynęły do nich dźwięki: chlust przewalających się fal, łomotanie wody w boki okrętu, trzeszczenie burt, a ponad tym wszystkim potężny, nieustający ryk wiatru i wody. Lecz dopiero zapach – mocny, słony zapach – przekonał Łucję, że to nie sen.

– Przestańcie! – rozległ się skrzekliwy, pełen strachu i złości głos Eustachego. – To jakieś wasze głupie sztuczki! Przestańcie! Bo powiem wszystko Albercie… Aauuuuu!…

Edmund i Łucja byli bardziej oswojeni z dziwnymi przygodami, ale dokładnie w tej samej chwili, gdy Eustachy krzyknął „Aauuuuu!", i oni wrzasnęli „Aauuuuu!", bo oto wielki, zimny i słony bałwan chlusnął nagle z ram obrazu, pozbawiając ich tchu. Byli przemoczeni do suchej nitki.

– Rozwalę to paskudztwo! – zawołał Eustachy.

W tej samej chwili zaczęło się dziać wiele rzeczy naraz. Eustachy ruszył w kierunku obrazu, a Edmund, który wiedział coś niecoś o Czarach, skoczył za nim, krzycząc, aby nie był głupi i miał się na baczności. Łucja złapała go za rękę z drugiej strony i została pociągnięta do przodu. Jednocześnie albo obraz nagle urósł, albo też oni stali się mniejsi, dość że kiedy Eustachy podskoczył, próbując zerwać go ze ściany, znalazł się

na ramie; przed nim nie było szyby, lecz prawdziwe
morze, a wiatr i fale uderzały wściekle w ramę, jakby
to była przybrzeżna skała. Eustachy zupełnie stracił
głowę i złapał się kurczowo kuzynów, którzy wskoczyli
na ramę obok niego. Rozległy się krzyki i zaczęła się
lekka szamotanina. I właśnie wtedy, gdy wszystkim się
zdawało, że złapali już równowagę, wyrósł przed nimi

wielki, granatowy bałwan, zwalił ich z nóg i pociągnął prosto w morze. Rozpaczliwy krzyk Eustachego zamarł nagle, kiedy woda dostała mu się do ust. Łucja dziękowała Bogu, że w ostatnim letnim semestrze zrobiła znaczne postępy w pływaniu. Co prawda, lepiej by sobie radziła, gdyby poruszała rękami trochę wolniej, a także gdyby woda nie okazała się tak przeraźliwie zimna, ale i tak utrzymywała się jakoś na powierzchni. Szybko zrzuciła buty, jak powinien zrobić każdy, kto wpadnie w ubraniu do głębokiej wody. Pamiętała nawet o tym, aby mieć zamknięte usta i otwarte oczy. Znajdowali się wciąż blisko okrętu, zobaczyła piętrzącą się nad nią zieloną burtę i ludzi na pokładzie pokazujących ją sobie palcami. A potem, jak można się było spodziewać, Eustachy w panice uchwycił się jej kurczowo i woda przykryła im głowy.

Kiedy się wynurzyli, Łucja zobaczyła białą postać skaczącą z pokładu do morza. Edmund był teraz blisko nich i – przebierając szybko nogami w wodzie – zdołał pochwycić ręce wyjącego dziko Eustachego. A potem ktoś inny, czyja twarz była jej dziwnie znajoma, podtrzymał ją z drugiej strony. Na pokładzie zabrzmiały okrzyki, wiele głów pojawiło się nad balustradą, rzucono liny. Edmund i ów obcy pływak opasali ją liną. Nastąpiła długa chwila wyczekiwania, podczas której twarz jej posiniała i zęby zaczęły szczękać z zimna, aż wreszcie uchwycono dogodny moment i wyciągnięto ją na górę. Kiedy już stanęła na pokładzie, drżąca i ociekająca wodą, okazało się, że mimo wysiłków marynarzy miała porządnie stłuczone kolano. W chwilę potem pojawił się nad burtą Edmund, a po nim wyciągnięto nieszczęsnego Eustachego. Na końcu wdrapał się na pokład złotowłosy chłopiec, zaledwie kilka lat od niej starszy.

– Ka... Ka... Kaspian! – wyjąkała Łucja, gdy tylko złapała oddech. Bo był to Kaspian, młody król, któremu podczas swych ostatnich odwiedzin w Narnii pomogli odzyskać tron. Teraz poznał go i Edmund. Uścisnęli sobie dłonie i poklepali się po plecach, wielce uradowani.

– A kim jest wasz przyjaciel? – zapytał Kaspian, patrząc na Eustachego z miłym uśmiechem. Ale Eustachy płakał i to o wiele żałośniej, niż miałby prawo płakać chłopiec w jego wieku, któremu w końcu nie stało się nic gorszego od przemoknięcia do suchej nitki. Wśród szlochów słychać było od czasu do czasu urywane zdania:

– Ja chcę stąd iść... ja chcę wracać... wcale mi się to NIE PODOBA.

– Chcesz stąd iść? – zapytał Kaspian. – Ale dokąd?

Eustachy podbiegł do burty, jakby się spodziewał zobaczyć ramę obrazu wiszącą nad wzburzonym oceanem, a może i kawałek sypialni Łucji. Ale zobaczył tylko granatowe fale zwieńczone pienistymi grzywami i błękitne niebo stykające się z morzem na widnokręgu. Może i trudno winić go za to, że się załamał. Natychmiast zrobiło mu się niedobrze.

– Hej, Rynelfie! – zawołał Kaspian do jednego z marynarzy. – Przynieś korzennego wina dla ich królewskich mości. Musicie się czymś rozgrzać po tej kąpieli.

Nazwał Edmunda i Łucję „ich królewskimi mościami", ponieważ byli kiedyś – wraz z Piotrem i Zuzanną – królami i królowymi Narnii, dawno temu, jeszcze przed jego czasami. Narnijski czas płynie zupełnie inaczej niż nasz. Jeśli się spędzi w Narnii nawet sto lat, powraca się do naszego świata o tej samej godzinie, w której się go opuściło. Jeśli natomiast wróci się do Narnii po tygodniu spędzonym tutaj, może się zda-

rzyć, że minęło już tysiąc narnijskich lat, albo jeden dzień, albo też czas w ogóle nie ruszył z miejsca. Nigdy się tego nie wie, dopóki się nie znajdzie w Narnii. Kiedy ostatnim razem Piotr, Zuzanna, Edmund i Łucja wrócili do Narnii, dla jej mieszkańców było to coś takiego, jakby król Artur wrócił do dzisiejszej Anglii (a są tacy, co twierdzą, że wróci; jeśli chodzi o mnie, to powiem tylko: im prędzej, tym lepiej).

Wrócił Rynelf, niosąc dymiący dzban wina z korzeniami i cztery srebrne kubki. Tego im właśnie było trzeba. Kiedy wysączyli po kubku gorącego płynu, poczuli od razu ciepło w całym ciele. Tylko Eustachy krzywił się, krztusił i pluł, i znowu był chory, i od nowa zaczynał płakać, i prosił, aby mu dostarczono Witaminizowanej Odżywki na Nerwy firmy Plumptree i żeby mu ją rozpuszczono w destylowanej wodzie, i w ogóle, żeby go wysadzono na ląd w najbliższym porcie.

— Wesołego pasażera nam sprowadziłeś, bracie, nie ma co — szepnął Kaspian do Edmunda, chichocząc, ale nim zdążył powiedzieć coś więcej, Eustachy znowu wybuchnął:

— Och! Cóż TO znowu, na miłość boską! Zabierzcie to, zabierzcie to szkaradztwo!

Tym razem usprawiedliwiał go trochę fakt, że mógł być nieco zaskoczony. Z nadbudówki na rufie wyszło coś rzeczywiście dziwnego i powoli się do nich zbliżało. Można by to nazwać — i odpowiadałoby to prawdzie — myszą. Ale była to mysz stojąca na tylnych łapach i mająca ponad pół metra wysokości. Wokół głowy miała wąską, złotą przepaskę z długim, szkarłatnym piórem. (Futerko myszy było ciemne, prawie czarne, więc efekt był wspaniały.) Pazury lewej łapy spoczywały na rękojeści rapiera, prawie tak długiego jak jej ogon. Podziw budził sposób, w jaki utrzymywała równowagę na kołyszącym się pokładzie, zachowując przy tym dostojność kroku i dworskość manier. Łucja i Edmund rozpoznali tę dziwną istotę natychmiast: był to Ryczypisk, wódz myszy, najwaleczniejszy rycerz pośród wszystkich mówiących zwierząt Narnii. Okrył się on wielką sławą w drugiej bitwie pod Beruną. Łucja miała straszną ochotę (a miała ją zawsze, kiedy go spotykała) pochwycić Ryczypiska w ramiona i mocno do siebie przytulić. Wiedziała jednak, że to niemożliwe; poczułby się głęboko urażony. Przyklękła więc, aby z nim porozmawiać.

Ryczypisk wystawił lewą nogę, cofnął prawą, wykonał głęboki ukłon, ucałował jej rękę, wyprostował się, podkręcił wąsa i powiedział przenikliwym, piskliwym głosem:

— Pokorny sługa waszej królewskiej mości. I króla Edmunda, a jakże. — Tu skłonił się ponownie. — Obecność waszych wysokości była jedyną rzeczą, jakiej nam brakowało w tej wspaniałej przygodzie.

— Och, zabierzcie to stąd — jęknął znowu Eustachy.
— Nienawidzę myszy. I nie znoszę tresowanych zwierząt. Są głupie, wulgarne i... i sentymentalne.

— Czy mam rozumieć — powiedział Ryczypisk do Łucji, obrzuciwszy uprzednio Eustachego długim spojrzeniem – że ta wyjątkowo nieuprzejma osoba jest pod opieką waszej królewskiej mości? Bo jeśli nie…

W tym momencie Łucja i Edmund jednocześnie kichnęli.

– Cóż za głupiec ze mnie, żeby was trzymać tutaj w mokrych ubraniach – rzekł Kaspian. – Proszę na dół, zaraz je zmienimy. Naturalnie oddaję ci swoją kajutę, Łucjo, ale obawiam się, że nie mamy na pokładzie damskich strojów. Będziesz musiała wybrać sobie coś z moich rzeczy. Ryczypisku, prowadź i bądź dobrym kompanem.

– Jeśli w grę wchodzi wygoda damy – powiedział Ryczypisk – nawet sprawa honoru musi ustąpić, przynajmniej na jakiś czas – i spojrzał twardo na Eustachego. Ale Kaspian szybko popchnął go do przodu i po chwili Łucja znalazła się w pomieszczeniu rufowym. Było tu cudownie: trzy prostokątne okna, za którymi widać było niebieską, pofalowaną wodę, niskie, wyściełane ławy z trzech stron stołu, kołysząca się pod sufitem srebrna lampa (po misterności wykonania poznała robotę karłów) i złota płaskorzeźba nad drzwiami przedstawiająca Wielkiego Lwa Aslana. Łucja zdążyła tylko rzucić okiem na to wszystko, bo Kaspian otworzył już drzwi po prawej stronie i powiedział:

– To będzie twoja kajuta. Wezmę tylko coś suchego dla siebie – mówiąc to, szperał w jednej ze skrytek w ścianie – i zostawiam cię, żebyś mogła się przebrać. Mokre rzeczy wyrzuć za drzwi, każę je zabrać do kuchni, aby wyschły.

Łucja poczuła się tak swojsko, jakby mieszkała w kajucie Kaspiana od kilku tygodni. Leniwe kołysanie okrętu nie przeszkadzało jej ani trochę, bo przecież w dawnych czasach, gdy była królową w Narnii, nieraz odbywała dalekie morskie podróże. Kajuta Kaspiana była niewielka, ale bardzo czysta i jasna, z biegnącymi dookoła kolorowymi kasetonami wymalowanymi w ptaki, zwierzęta, szkarłatne smoki i winorośle. Ubrania Kaspiana okazały się na nią za duże, ale w końcu coś dla siebie znalazła. Zwłaszcza jego trzewiki, sandały i długie żeglarskie buty były beznadziejnie wielkie, lecz stwierdziła, że na statku może przecież chodzić boso. Już ubrana popatrzyła przez okno na uciekającą wartko wodę i odetchnęła głęboko. Pomyślała, że znowu rozpoczęły się dla nich cudowne czasy.

ROZDZIAŁ 2

Na pokładzie
„Wędrowca do Świtu"

NO, WRESZCIE JESTEŚ, ŁUCJO – powiedział Kaspian.
– Czekaliśmy tylko na ciebie. Oto mój kapitan, lord Drinian.

Ciemnowłosy mężczyzna przykląkł na jedno kolano i ucałował jej dłoń. Prócz niego i Kaspiana w pomieszczeniu rufowym byli Ryczypisk i Edmund.

– A gdzie jest Eustachy? – zapytała Łucja.

– W łóżku – odrzekł Edmund. – I nie sądzę, żeby można było coś dla niego zrobić. Kiedy się próbuje być dla niego miłym, jest jeszcze gorzej.

– A my tymczasem – powiedział Kaspian – musimy porozmawiać.

– Święta racja – zgodził się Edmund. – Przede wszystkim na temat czasu. Według naszego czasu minął rok, odkąd rozstaliśmy się tuż przed twoją koronacją. Ile czasu upłynęło w Narnii?

– Dokładnie trzy lata – odrzekł Kaspian.

– Wszystko idzie dobrze? – zapytał Edmund.

– Nie sądzisz chyba, że opuściłbym swoje królestwo i wyruszył na morze, gdyby były jakieś kłopoty – odpowiedział król. – Nie może być lepiej. Nie ma już żadnych niesnasek między Telmarami, karłami, mówiącymi zwierzętami, faunami i całą resztą. Było trochę trudności z tymi niespokojnymi olbrzymami na granicy, ale ostatniego lata daliśmy im taką nauczkę, że teraz płacą nam daninę. A wyruszając w morze, pozostawiłem jako swego regenta wspaniałą postać, karła Zuchona. Pamiętacie go?

– Kochany Zuchon – powiedziała Łucja. – Jasne, że go pamiętam. Nie mogłeś dokonać lepszego wyboru.

– Wierny jak borsuk, pani, i mężny jak... jak mysz – rzekł Drinian. Chciał powiedzieć „jak lew", ale w porę zauważył utkwione w sobie oczy Ryczypiska.

– A dokąd właściwie teraz zmierzamy? – zapytał Edmund.

– To dłuższa historia – rzekł Kaspian. – Pamiętacie może, że kiedy byłem dzieckiem, mój wuj, uzurpator Miraz, pozbył się siedmiu przyjaciół mojego ojca (którzy mogli stanąć po mojej stronie), wysyłając ich na zbadanie nieznanych Mórz Wschodnich poza Samotnymi Wyspami.

– Tak, pamiętam – wtrąciła Łucja. – I żaden z nich nigdy już nie wrócił.

– Tak właśnie było. A więc, w dniu mojej koronacji, za aprobatą Aslana, złożyłem przysięgę, że kiedy zaprowadzę pokój w Narnii, wyruszę na trwającą rok i jeden dzień wyprawę poza Samotne Wyspy, by odnaleźć przyjaciół mojego ojca lub pomścić ich śmierć, jeśli to będzie możliwe. Oto imiona tych szlachetnych baronów: Revilian, Bern, Argoz, Mavramorn, Oktezjan, Restimar i... och, ten ostatni, którego imię tak trudno zapamiętać...

– Baron Rup, panie – wtrącił Drinian.

– Rup, Rup, oczywiście – powiedział Kaspian. – Oto mój główny cel wyprawy. Ale Ryczypisk żywi jeszcze inne, bardziej śmiałe nadzieje.

Wszystkie oczy zwróciły się na waleczną mysz.

– Tak śmiałe jak duch, który mnie ożywia – rzekł Ryczypisk – choć być może tak małe jak mój wzrost. Otóż, dlaczego nie mielibyśmy dotrzeć do samego wschodniego krańca świata? I co możemy tam zobaczyć? Jeśli chodzi o mnie, to mam nadzieję, że znajdziemy tam krainę Aslana. Wielki Lew zawsze przybywa ze wschodu, zza morza.

– No wiecie, to jest myśl! – powiedział Edmund zmienionym z wrażenia głosem.

– Ale czy sądzisz – spytała Łucja – że kraina Aslana jest taka... to znaczy... takiego rodzaju, że w ogóle można do niej DOPŁYNĄĆ?

– Nie wiem, pani – odrzekł Ryczypisk. – Ale racz posłuchać. Kiedy byłem jeszcze w kołysce, leśna boginka, driada, wypowiedziała nade mną takie słowa:

Gdzie się niebo z wodą spotka,
gdzie się fala robi słodka,
Ryczypisku, bez wątpienia
spełnisz wszystkie swe pragnienia;
tam jest Ostateczny Wschód.

Nie wiem, co ten wiersz oznacza, ale czar tych słów urzekł mnie na całe życie.

Przez chwilę wszyscy milczeli, aż w końcu Łucja zapytała:

– A gdzie jesteśmy teraz, Kaspianie?

– O tym powie ci lepiej kapitan – odrzekł Kaspian, a Drinian wydobył mapę i rozłożył ją na stole.

– Oto nasze położenie – powiedział, wskazując palcem. – Mówiąc ściślej, takie było dziś w południe. Po opuszczeniu Ker-Paravelu mieliśmy niezły wiatr i pożeglowaliśmy na północ, do Galmy, dokąd dopłynęliśmy następnego dnia. Tam staliśmy w porcie przez tydzień, ponieważ książę Galmy urządził wielki turniej na cześć jego królewskiej mości. Król powalił na ziemię wielu rycerzy...

– I sam niejeden raz spadł z konia, Drinianie – przerwał mu Kaspian. – Ślady tego można oglądać do dzisiaj.

– ...Król powalił na ziemię wielu rycerzy – powtórzył Drinian, szczerząc zęby – i wydawało się nam, że książę byłby bardzo rad, gdyby jego królewska mość poślubił jego córkę, ale nic z tego nie wyszło...

– Miała zeza i piegi – wtrącił Kaspian.

– Biedaczka! – westchnęła Łucja.

– Po opuszczeniu Galmy – ciągnął Drinian – wpadliśmy w sztil trwający dwa dni, tak że musieliśmy w końcu użyć wioseł, a potem znowu złapaliśmy wiatr i po czterech dniach dopłynęliśmy do Terebintu. Ale król Terebintu wysłał nam ostrzeżenie, abyśmy nie wpływali do portu, bo w mieście panuje zaraza. Okrążyliśmy przylądek i rzuciliśmy kotwicę w małej zatoczce, by nabrać świeżej wody. Musieliśmy tam czekać trzy dni, zanim złapaliśmy południowo-wschodni wiatr i pożeglowaliśmy ku Siedmiu Wyspom. Trzeciego dnia zaatakował nas piracki okręt (terebincki, sądząc po takielunku), lecz po krótkiej wymianie strzałów z łuków odpłynął, widząc, że jesteśmy dobrze uzbrojeni...

– A powinniśmy go ścigać, zdobyć abordażem, a potem powiesić tych wszystkich szubrawców – wtrącił Ryczypisk.

– ...A po pięciu dniach zobaczyliśmy Muil, która jest, jak wiecie, najdalej na zachód wysuniętą jedną z Siedmiu Wysp. Potem powiosłowaliśmy przez cieśniny i przed zachodem słońca wpłynęliśmy do Redhaven na wyspie Brenn, gdzie przyjęto nas bardzo gościnnie. Tam uzupełniliśmy prowiant i wodę. Sześć dni temu wypłynęliśmy w morze, mając przez cały czas sprzyjający wiatr. Biorąc pod uwagę dobrą szybkość, mam nadzieję zobaczyć Samotne Wyspy pojutrze. Tak więc jesteśmy już na morzu blisko trzydzieści dni i przebyliśmy ponad czterysta lig, czyli tysiąc dwieście mil morskich*.

– A co będzie za Samotnymi Wyspami? – zapytała Łucja.

– Tego nikt nie wie, wasza wysokość – odrzekł Drinian. – Może powiedzą nam coś na ten temat mieszkańcy Wysp.

– Za naszych czasów nie potrafili nic powiedzieć – wtrącił Edmund.

– A więc – rzekł Ryczypisk – nasza przygoda zacznie się naprawdę dopiero za Samotnymi Wyspami.

---

* Liga morska – 5,56 kilometra = 3 mile morskie. Mila morska – 1,852 kilometra – przyp. tłum.

Kaspian zaproponował, że przed kolacją pokaże im statek, ale Łucja poczuła wyrzuty sumienia i powiedziała:

— Muszę pójść i zobaczyć, jak się miewa Eustachy. Dobrze wiecie, że choroba morska to rzecz okropna. Gdybym tylko miała swój cudowny lek, wyleczyłabym go od razu.

— Przecież go masz! — zawołał Kaspian. — Zupełnie o tym zapomniałem. Po waszym odejściu z Narnii uznałem, że jest częścią skarbu królewskiego, więc wybierając się w podróż, zabrałem go ze sobą. Jeśli tylko uważasz, że można go marnować na coś takiego jak morska choroba...

— Wystarczy tylko kropelka — powiedziała Łucja.

Kaspian otworzył jedną ze skrytek w ławie i wyjął z niej przepiękny diamentowy flakonik, który Łucja tak dobrze pamiętała.

— A więc przyjmij z powrotem to, co do ciebie należy, królowo — rzekł Kaspian. Potem wyszli z kajuty na zalany słońcem pokład.

W pokładzie, po obu stronach masztu — od dziobu i od rufy — znajdowały się dwa luki. Oba były otwarte, jak zwykle w czasie dobrej pogody, aby wpuścić do wnętrza światło i świeże powietrze. Kaspian poprowadził ich do jednego z luków. Zeszli po drabinie i znaleźli się w obszernym pomieszczeniu z ławkami dla wioślarzy, które biegły rzędami wzdłuż obu burt. Przez okrągłe otwory na wiosła sączyło się dzienne światło, na suficie migotały słoneczne plamki. Naturalnie okręt Kaspiana nie był tą okropną rzeczą, jaką jest galera, na której wioślarzami są niewolnicy. Wioseł używano tylko podczas sztilu, czyli ciszy morskiej, albo do manewrowania przy brzegu, i wówczas wszyscy (prócz Ryczypiska, który miał za krótkie nogi) wiosłowali kolejno. Wzdłuż burt pozostawiono wolne miejsce, aby wioślarze mieli gdzie oprzeć nogi, ale cały środek zajmowało obszerne, sięgające aż do stępki zagłębienie, wypełnione najróżniejszym prowiantem: workami mąki, beczkami wody i piwa, baryłkami wieprzowiny, garncami miodu, bukłakami wina, jabłkami, orzechami, serami, sucharami, rzepą, połciami bekonu. Z sufitu – to znaczy ze spodniej strony pokładu – zwieszały się szynki i wieńce cebuli. Wisiały tu też hamaki, w których wypoczywali marynarze oczekujący na swoją wachtę.

Kaspian poprowadził ich w stronę rufy, krocząc po ławkach wioślarskich (w każdym razie dla niego były to kroki, bo Łucja wykonywała coś pośredniego między krokami a susami, a Ryczypisk musiał posuwać się do przodu długimi skokami). W ten sposób dotarli do ściany działowej na wysokości rufówki. Kaspian otworzył niewielkie drzwiczki i wprowadził ich do pomieszczenia wypełniającego sterówkę pod kajutą rufową. Było tu nisko, a ściany zbiegały się ku sobie przy podłodze. Małych, okrągłych okienek z grubego szkła nigdy się nie otwierało z tej prostej przyczyny, że były już pod linią wody. Kiedy okręt wspinał się i opadał na falach, okienka robiły się to złote – od słońca, to ciemnozielone – od morskiej wody.

— To będzie nasza kajuta, Edmundzie — powiedział Kaspian. — Myślę, że zostawimy koję twemu kuzynowi, a sobie rozwiesimy hamaki.

— Zaklinam waszą królewską mość... — zaczął Drinian, ale Kaspian szybko mu przerwał: — Nie, nie kapitanie, już to ustaliliśmy. Ty i Rins — Rins był zastępcą kapitana, czyli matem — kierujecie statkiem i będziecie mieć mnóstwo spraw wieczorami, kiedy my będziemy sobie śpiewać pieśni i opowiadać stare opowieści. Mu-

sicie mieć rufową kajutę nad nami. Królowi Edmundowi i mnie będzie tu bardzo wygodnie. Ale jak się miewa nasz gość?

Eustachy, bardzo zielony na twarzy, jęknął i zapytał, czy są jakieś oznaki świadczące o tym, że sztorm się kończy.

— O jakim sztormie mówisz? — zapytał zdumiony Kaspian, a Drinian wybuchnął śmiechem.

– Sztorm! – zagrzmiał. – Mój młody panie, trudno sobie wymarzyć lepszą pogodę!

– Kto to taki? – zapytał Eustachy ze złością. – Każcie mu stąd iść. Głowa mi pęka od jego wrzasku.

– Przyniosłam coś, co sprawi, że zaraz poczujesz się lepiej – powiedziała Łucja.

– Och, idźcie sobie wszyscy i zostawcie mnie w spokoju – warknął Eustachy.

Łucja już otworzyła swój flakonik i cała kajuta napełniła się cudownym zapachem. W końcu udało się go namówić, aby przełknął kroplę, i chociaż oznajmił, że to jakieś paskudztwo, po chwili powróciły mu rumieńce. Musiał poczuć się lepiej, bo zamiast dalej narzekać na burzę i swoją głowę, zaczął się domagać wysadzenia na ląd, dodając, że w pierwszym napotkanym porcie „złoży przeciwko nim doniesienie" na ręce brytyjskiego konsula. Ryczypisk zapytał, co to jest „doniesienie" i jak się je składa (myśląc, że to jakaś nieznana mu forma wyzwania na pojedynek), na co Eustachy tylko mruknął z pogardą: „Żeby czegoś takiego nie wiedzieć". W końcu przekonali go z trudem, że właśnie płyną ile wiatru w żaglach do najbliższego znanego im lądu i że odesłanie go teraz do Cambridge (gdzie mieszka wuj Harold) jest równie trudne, jak wysłanie na Księżyc. Nie przestając się dąsać, włożył wreszcie suche ubranie, które mu przyniesiono, i wyszedł za nimi na pokład.

Kaspian pokazał im teraz cały okręt, choć w rzeczy samej widzieli już jego większą część. Weszli na pokład dziobowy i zobaczyli „człowieka na oku", czyli marynarza stojącego na małej półeczce we wnętrzu pozłacanej szyi smoka i obserwującego morze przez jego otwartą paszczę. Pod pokładem dziobówki była okrętowa kuchnia i kajuty dla żeglarskiej starszyzny: bosmana, cieśli i dowódcy łuczników. Pewnie wydaje wam się dziwne umieszczenie kuchni na dziobie, bo sobie wyobrażacie, że dym z jej komina leci na cały pokład. Ale tak byłoby tylko na parowcu, ustawianym zwykle pod wiatr. Na żaglowcu wiatr zawsze wieje od rufy; dym oraz przykre zapachy z kuchni są natychmiast zdmuchiwane na zewnątrz.

Pokazano im także platformę bitewną, czyli marsa, i kiedy się tam wdrapali, aż dech im zaparło, tak daleki i maleńki zdawał się pokład z tej wysokości. Wydawało się, że nie ma żadnej szczególnej przyczyny, by trafić

akurat w pokład, a nie w morze, gdyby się nagle spadło. Potem weszli na pokład rufowy, gdzie Rins i jeden z marynarzy trzymali wachtę przy wielkim rumplu, za którym podnosił się pozłacany ogon smoka z wąską ławeczką biegnącą po wewnętrznej stronie boków. Okręt nosił nazwę „Wędrowiec do Świtu". Niewiele miał wspólnego z naszymi współczesnymi statkami, ale różnił się też od narnijskich kog, karak i galeonów z czasów, gdy Łucja i Edmund byli w Narnii monarchami, a Piotr Wielkim Królem, ponieważ później, za panowania przodków Kaspiana, zaniechano w ogóle żeglugi i budowy statków. Kiedy uzurpator Miraz wpadł na pomysł wysłania w morze siedmiu baronów, trzeba było zakupić okręt w Galmie i tam nająć załogę. Kaspian zaczął jednak znowu uczyć Narnijczyków żeglarskiej sztuki, a „Wędrowiec do Świtu" uchodził za najlepszy okręt, jaki dotąd zbudował. Był tak mały, że od masztu do dziobu niewiele już pozostawało miejsca między środkowym lukiem, łodzią okrętową i zagrodą dla kur (Łucja zajęła się ich karmieniem). Ale był piękny jak młoda dama – tak mówili o nim żeglarze – miał świetną linię, czyste kolory, misternie wykończone reje, liny i żagle. Eustachemu nic się oczywiście nie podobało i bez przerwy opowiadał o transatlantykach, motorówkach, samolotach i łodziach podwodnych („Tak jakby ON coś o nich wiedział" – mruczał Edmund), ale pozostała dwójka była „Wędrowcem do Świtu" zachwycona. Kiedy wrócili do sterówki na kolację i popatrzyli na słońce, płonące nisko na zalanym szkarłatem zachodnim niebie, kiedy poczuli smak soli na wargach i drżenie statku, kiedy pomyśleli o nieznanych lądach na wschodniej krawędzi świata – Łucja poczuła się zbyt szczęśliwa, by można to było wyrazić.

Co myślał Eustachy, najlepiej opowiedzieć jego własnymi słowami. Kiedy następnego ranka dostali z powrotem swoje wysuszone ubrania, od razu wyciągnął z kieszeni mały, czarny notes z ołówkiem i zaczął prowadzić dziennik. Notes ten zawsze miał przy sobie i zapisywał w nim wszystkie stopnie, jakie otrzymywał, bo chociaż żaden przedmiot w szkole nie interesował go sam dla siebie, miał bzika na punkcie stopni i często zaczepiał innych, mówiąc: „Dostałem czwórkę. A co ty dostałeś?" Ale ponieważ nic nie wskazywało na to, że na pokładzie „Wędrowca do Świtu" będzie dostawał jakieś stopnie, zaczął prowadzić dziennik. Oto jego pierwszy zapis:

7 sierpnia. Już od dwudziestu czterech godzin jestem na tej piekielnej łajbie, jeżeli to nie sen. Przez cały czas szaleje potworny sztorm (dzięki Bogu, nie mam morskiej choroby). Olbrzymie fale wlewają się na pokład od dziobu i już wiele razy widziałem, jak przykryły cały statek. Wszyscy udają, że tego nie zauważają. Albo to poza, albo też sprawdza się to, co mówił Harold: tchórze zawsze zamykają oczy na Fakty. To szaleństwo wyprawiać się na morze w tak marnej łupinie. Niewiele większa od łodzi ratunkowej. No i oczywiście absolutnie prymitywna wewnątrz. Nie ma sali klubowej z prawdziwego zdarzenia, nie ma radia, łazienek, leżaków na pokładzie. Wczoraj wieczorem pokazano nam cały statek i robiło mi się niedobrze, gdy Kaspian pysznił się tą swoją dziecinną łódką, jakby to była „Queen Elizabeth". Próbowałem mu opowiedzieć, jak wygląda prawdziwy statek, ale jest na to za tępy. E. i Ł. OCZYWIŚCIE mnie nie poparli. Przypuszczam, że taki dzieciak jak Ł. nie zdaje sobie sprawy z niebezpieczeństwa, a E. podlizuje się K., jak zresztą wszyscy na pokładzie. Nazywają go królem. Powiedziałem mu, że jestem republikaninem, a on spytał, co to znaczy! Sprawia wrażenie, jakby w ogóle nie miał o niczym pojęcia. Muszę

zaznaczyć, że umieszczono mnie w najgorszej kajucie, wła-
ściwie w czymś w rodzaju lochu. Łucja dostała cały pokój na
górze tylko dla siebie, zupełnie niezły w porównaniu z resztą.
K. mówi, że to dlatego, że jest dziewczynką. Próbowałem
mu wytłumaczyć, że — jak zawsze mówi Alberta — tego ro-
dzaju postępowanie w rzeczywistości poniża dziewczynki, ale
i na to był za tępy. Mógłby jednak zwrócić uwagę na to, że
rozchoruję się, jeśli będą mnie dłużej trzymać w tej dziurze.
E. mówi, że nie powinniśmy narzekać, bo sam K. dzieli ją
z nami, oddawszy swoją kabinę Ł. Tak jakby to jeszcze bar-
dziej nie pogarszało sprawy: jest przecież ciaśniej! O mały
włos zapomniałbym napisać, że jest tu takie coś w rodzaju
myszy. Zachowuje się wobec każdego tak bezczelnie, że trudno
to sobie w ogóle wyobrazić. Inni mogą jej na to pozwalać, jeśli
tylko mają ochotę, ale jeśli chodzi o mnie, to ukręcę jej ten
śliczny ogon, jak ze mną zacznie. Jedzenie jest okropne.

Do pierwszego poważnego starcia między Eustachym a Ryczypiskiem doszło wcześniej, niż można się
było spodziewać. Następnego dnia, gdy wszyscy pozostali siedzieli już przy stole, czekając na obiad (na morzu zawsze ma się ogromny apetyt), Eustachy wpadł
do kajuty, trzymając się za rękę i wrzeszcząc:

— Ten mały dzikus o mało mnie nie zabił! Żądam
stanowczo, aby trzymano go pod strażą! Mogę wsz-
cząć postępowanie przeciw tobie, Kaspianie. Mogę ci
kazać zniszczyć to szkaradztwo.

W tej samej chwili pojawił się Ryczypisk. W ręku
trzymał rapier, wąsy miał dziko nastroszone, ale nie
zapomniał o dobrych manierach.

– Proszę wszystkich obecnych o wybaczenie, a szczególnie jej królewską mość – tu skłonił się przed Łucją. – Gdybym tylko wiedział, że właśnie tu poszuka schronienia, poczekałbym na bardziej stosowny czas, by mu dać nauczkę.

– Co się stało, do licha? – zapytał Edmund.

A oto, co się naprawdę wydarzyło. Ryczypisk, któremu zawsze się wydawało, że okręt nie płynie dostatecznie szybko, lubił siadywać na samym dziobie, tuż za głową smoka, patrząc w stronę wschodniego horyzontu i swoim nieco skrzekliwym głosem śpiewając

cicho słowa, jakie kiedyś wypowiedziała nad nim driada. Choćby okrętem nie wiem jak kołysało, nigdy się niczego nie trzymał, zachowując doskonałą równowagę prawdopodobnie dzięki swemu długiemu ogonowi, który zwisał na pokład między słupkami balustrady. Cała załoga przyzwyczaiła się już do tego, a marynarze trzymający wachtę na oku bardzo ten zwyczaj polubili, bo mieli z kim porozmawiać. Nigdy się nie wyjaśniło, w jakim celu Eustachy – zataczając się, potykając i czołgając, bo nie nauczył się jeszcze marynarskiego kroku – dostał się aż na pokład dziobowy. Być może miał nadzieję zobaczyć jakiś ląd, a może chciał zwędzić coś z kuchni przez okno. Tak czy owak, jak tylko zobaczył długi ogon zwisający z balustrady – może to i był widok kuszący – pomyślał, że byłoby wspaniale złapać za ten ogon, wywinąć biedną myszą młynka raz czy dwa, a potem uciec i pękać ze śmiechu. Z początku wszystko szło jak z płatka. Mysz nie była cięższa od dużego kota. Eustachy wyciągnął ją za ogon zza balu-

strady i uradowany patrzył, jak głupio – według niego – wygląda z rozłożonymi na wszystkie strony łapami i otwartym pyszczkiem. Na jego nieszczęście Ryczypisk, który nieraz bywał w gorszych opałach, nigdy nie tracił choćby na chwilę ani głowy, ani swoich umiejętności. Niełatwo wyciągnąć rapier z pochwy, kiedy się jest okręcanym w powietrzu za ogon, ale Ryczypisk to potrafił. Eustachy poczuł dwa bolesne ukłucia w rękę i natychmiast puścił ogon myszy. W następnej chwili Ryczypisk odbił się od pokładu jak piłka i już stał na tylnych łapach, patrząc na niego groźnie, a koniec długiego, błyszczącego i ostrego przedmiotu przypominającego szpikulec drgał niebezpiecznie o cal od brzucha Eustachego. (Narnijskie myszy nie przestrzegają zakazu ciosów poniżej pasa, bo trudno by im było w ogóle sięgnąć wyżej.)

– Przestań – wybełkotał Eustachy. – Idź sobie. Zabierz to. To niebezpieczne. Przestań, mówię. Powiem Kaspianowi. Każę cię związać. Każę ci założyć kaganiec.

– Dlaczego nie sięgasz po swój miecz, podły tchórzu! – zapiszczał Ryczypisk. – Dobądź miecza i walcz albo cię wypłazuję na czarno i niebiesko!

– Nie mam broni – odpowiedział Eustachy. – Jestem pacyfistą. Nie wierzę, by walka miała jakiś sens.

– Czy mam rozumieć – wycedził Ryczypisk, opuszczając na chwilę rapier – że nie zamierzasz udzielić mi satysfakcji?

– Nie wiem, o co ci chodzi – odrzekł Eustachy, oglądając swoją zranioną rękę. – Jeżeli nie znasz się na żartach, to w ogóle nie mam zamiaru zawracać sobie głowy twoją osobą.

– A więc masz! – zawołał Ryczypisk. – A to... aby cię nauczyć dobrych manier! ... i szacunku wobec rycerza!... i dla myszy!... i dla ogona myszy!...

I za każdym słowem uderzał go płazem rapiera, który był z hartowanej przez karłów stali, cienki i giętki jak brzozowa witka. Eustachy chodził do szkoły, w której – rzecz jasna – nie stosowano kary cielesnej, więc to przeżycie było dla niego całkowitą nowością. I oto, dlaczego, chociaż nie nauczył się jeszcze marynarskiego kroku, w ciągu niecałej minuty zdążył zbiec z pokładu dziobowego, pokonać całą długość głównego pokładu i wpaść do kajuty rufowej, przez całą drogę zawzięcie ścigany przez Ryczypiska. Miał przy tym wrażenie, że rapier jest rozżarzony do czerwoności.

Nie było większych trudności w załagodzeniu całej sprawy, gdy tylko Eustachy przekonał się, że wszyscy potraktowali pomysł pojedynku zupełnie poważnie, i gdy usłyszał, że Kaspian chce mu pożyczyć swój miecz, a Drinian i Edmund rozprawiają już nad tym, jak zmniejszyć wyraźną przewagę wzrostu Eustachego. Nadąsany przeprosił w końcu Ryczypiska i poszedł z Łucją przemyć i zabandażować rękę. Potem uciekł do swojej koi, pamiętając o tym, by położyć się nie na plecach, lecz na boku.

ROZDZIAŁ 3

Samotne Wyspy

ZIEMIA NA HORYZONCIE! – zawołał człowiek na oku. Łucja, która właśnie rozmawiała z Rinsem na pokładzie rufowym, szybko zeszła po drabinie i, podśpiewując radośnie, pobiegła na dziób. Po drodze przyłączył się do niej Edmund, a kiedy wspięli się na pokład dziobowy, zastali już tam Kaspiana, Driniana i Ryczypiska. Był chłodny ranek, niebo nie nabrało jeszcze barwy, a na bardzo ciemnym morzu bieliły się tu i ówdzie grzywy fal. I oto przed nimi, nieco na prawo, widniała najbliższa z Samotnych Wysp, Felimata, jak niskie, zielone wzgórze pośród morza. Poza nią majaczyły szare zbocza siostrzanej wyspy Dorn.

– Nasza stara Felimata! Nasz stary Dorn! – zawołała Łucja, klaszcząc w dłonie. – Och, Edmundzie, ileż to czasu upłynęło od chwili, gdy widzieliśmy ją po raz ostatni!

– Nigdy nie mogłem dociec, jak to się stało, że te wyspy należą do narnijskiej Korony – powiedział Kaspian. – Czy to Wielki Król Piotr je podbił?

– Och, nie – odrzekł Edmund. – Należały do Narnii jeszcze przed naszym przybyciem, za czasów Białej Czarownicy.

Samotne Wyspy

(Nawiasem mówiąc, sam nie wiem, jak doszło do tego, że te odległe wyspy stały się częścią narnijskiej Korony; jeśli się kiedyś dowiem, a opowieść okaże się ciekawa, może opiszę to w innej książce.)

– Czy mamy tu przybić do brzegu, panie? – zapytał Drinian.

– Nie sądzę, aby było warto – powiedział Edmund.

– Za naszych czasów Felimata była prawie bezludna i nic nie wskazuje na to, że coś się zmieniło. Ludzie mieszkają głównie na Dornie oraz na Awrze – to trzecia wyspa, jeszcze jej nie widać. Na Felimacie są tylko pasterze strzegący wielkich stad owiec.

– A więc trzeba będzie okrążyć przylądek – powiedział Drinian – i wylądować na Dornie. A to oznacza, że musimy użyć wioseł.

– Szkoda, że omijamy Felimatę – odezwała się Łucja. – Bardzo bym chciała znowu po niej pochodzić, wśród tej cudownej trawy i koniczyny. I było tam tak samotnie... mam na myśli ten miły rodzaj samotności.

– I ja bym chętnie rozprostował nogi – powiedział Kaspian. – Coś wam powiem. Dlaczego nie mielibyśmy wziąć łodzi, przybić do brzegu i odesłać ją z powrotem, a potem przejść przez wyspę i wrócić na pokład „Wędrowca do Świtu" łodzią, którą by nam Drinian przysłał po opłynięciu przylądka?

Gdyby Kaspian miał już to doświadczenie, jakie zdobył później, nigdy by nie uczynił tej propozycji, ale w tym momencie wszystkim wydawała się ona wspaniała.

– Och, zróbmy tak! – zawołała Łucja.

— Popłyniesz z nami? — zapytał Kaspian Eustachego, który pojawił się na pokładzie z zabandażowaną ręką.

— Zrobię wszystko, byle tylko zejść z tej przeklętej łajby — odpowiedział Eustachy.

— Przeklętej? Co masz na myśli? — zapytał Drinian.

— W cywilizowanym kraju, z jakiego pochodzę — odparł Eustachy — statki są tak duże, że kiedy się przebywa w środku, trudno w ogóle zauważyć, że się jest na morzu.

— Po co wobec tego w ogóle wypływać w morze? — zdziwił się Kaspian. — Kapitanie, każ spuścić łódź.

Król, Ryczypisk, Łucja, Edmund i Eustachy zeszli do łodzi, która przewiozła ich na brzeg Felimaty. Marynarze powiosłowali z powrotem, a oni stanęli na piaszczystej plaży i popatrzyli na „Wędrowca do Świtu" stojącego w oddali na kotwicy. Z tej odległości wydawał się zaskakująco mały.

Łucja była wciąż boso (bo, jak pamiętacie, zrzuciła swoje buty, gdy wpadła do morza), ale wcale się tym nie przejmowała, skoro czekał ją spacer po puszystej murawie. Cudownie było znaleźć się znowu na lądzie i wdychać zapach ziemi i trawy, choć początkowo grunt zdawał się kołysać pod nogami, jak to zwykle bywa, gdy się zejdzie ze statku po długiej podróży. Na wyspie było o wiele cieplej niż na pokładzie i Łucja z radością brodziła po rozgrzanym piasku plaży. Wysoko w górze śpiewał skowronek.

Ruszyli w głąb wyspy, wspinając się na zbocze dość stromego, choć niezbyt wysokiego wzgórza. Na szczycie spojrzeli jeszcze raz za siebie, gdzie na ciemnej wodzie „Wędrowiec do Świtu" jaśniał jak wielki, błyszczący owad, sunąc powoli na wiosłach ku północnemu zachodowi. A potem przeszli przez grzbiet wzgórza i wkrótce stracili okręt z oczu.

Teraz ujrzeli wyspę Dorn, oddzieloną od Felimaty szerokim na milę kanałem, a za nią, po lewej stronie, wyspę Awrę. Widać też było doskonale bielejący na Dornie port Narrowhaven.

– Hej, a co to takiego? – powiedział nagle Edmund.

W zielonej dolinie, w którą wchodzili, zobaczyli sześciu lub siedmiu uzbrojonych, groźnie wyglądających ludzi siedzących pod drzewem.

– Myślę, że lepiej będzie nie mówić im, kim jesteśmy – powiedział Kaspian.

– Ale dlaczego, wasza królewska mość? – zapytał Ryczypisk, który zgodził się, by Łucja niosła go na barana.

– Przyszło mi do głowy – odrzekł Kaspian – że już od dawna mogli nie mieć kontaktu z Narnią. Bardzo możliwe, że nie uznają naszej władzy. A jeśli tak, to nie byłoby zbyt bezpiecznie ujawniać się przed czasem.

– Mamy przecież miecze, panie – powiedział Ryczypisk.

– Tak, Ryczypisku, nie zapomniałem o tym – odparł Kaspian – ale jeżeli mielibyśmy podbijać te wyspy na nowo, to wolałbym tu powrócić z nieco większą armią.

Byli już blisko obozujących pod drzewem ludzi. Jeden z nich – wysoki, czarnowłosy mężczyzna – zawołał na ich widok:

– Mile witamy, obcy przybysze!

– I my was witamy – odparł Kaspian. – Czy na Samotnych Wyspach jest jeszcze gubernator?

– A jest, jest, jako żywo – odpowiedział mężczyzna. – Gubernator Gumpas. Jego samowystarczalność przebywa w Narrowhaven. Ale usiądźcie i napijcie się z nami.

Kaspian podziękował uprzejmie i – chociaż ani jemu, ani reszcie nie bardzo przypadła do gustu ta nowa znajomość – wszyscy usiedli pod drzewem. Nie zdążyli jednak nawet podnieść do ust ofiarowanych im kubków, gdy czarnowłosy mężczyzna dał znak swoim towarzyszom i w mgnieniu oka cała piątka została pochwycona przez silne ręce. Próbowali się bronić, ale szybko ulegli przewadze napastników. Po chwili każdy stał już rozbrojony, z rękami związanymi na plecach. Tylko Ryczypisk miotał się jeszcze rozpaczliwie w uścisku swego przeciwnika, gryząc go z furią.

– Ostrożnie z tym zwierzakiem, Teks – powiedział przywódca bandy – nie zrób mu krzywdy. Głowę daję, że dostaniemy za niego więcej niż za całą resztę.

– Tchórz! Nędzny tchórz! – zaskrzeczał Ryczypisk. – Oddaj mi rapier i puść moje ręce, jeśli tylko starcza ci odwagi!

– Fiu-fiu-fiu – zagwizdał łowca niewolników (bo, jak się chyba domyślacie, tym właśnie był czarnowłosy przywódca bandy). – Toż to cudo mówi! Nigdy jeszcze czegoś takiego nie trafiłem. Niech mnie diabli porwą, jeśli nie wezmę za niego co najmniej dwustu krescentów*.

– A więc wiemy już, kim jesteś – powiedział Kaspian. – Łowca ludzi i handlarz żywym towarem! Mam nadzieję, że jesteś z tego dumny.

– No, no, no – odezwał się handlarz. – Nie zaczynaj mi tu prawić kazań. Im bardziej będziecie posłuszni, tym mniej będzie to was kosztować. Nie robię tego dla przyjemności. Zarabiam na życie, jak każdy.

– Dokąd chcesz nas zabrać? – zapytała Łucja, wymawiając każde słowo z pewnym trudem.

– Do Narrowhaven. Akurat jutro mamy dzień targowy.

– Czy jest tu gdzieś konsul brytyjski? – zapytał Eustachy.

– Kto taki?

---

* Kalormeński krescent, który jest główną monetą w tych okolicach, ma wartość około jednej trzeciej angielskiego funta.

Ale na długo przedtem, zanim Eustachy zmęczył się próbami wyjaśnienia, o co mu chodzi, przywódca bandy uciął krótko:

– Dobra, dobra. Mam już dosyć tego głędzenia. Ta mysz to wielka gratka, ale ten tutaj zagadałby na śmierć nawet osła. No, braciszkowie, zabieramy się stąd.

Przywiązano ich do długiej liny i cały orszak ruszył ku wybrzeżu. Tylko Ryczypisk nie szedł na własnych

nogach, niósł go jeden z porywaczy. Nie mógł już gryźć, bo związano mu pysk, ale mógł jeszcze mówić i rzeczywiście miał wiele do powiedzenia. Łucja dziwiła się, że jakikolwiek człowiek może znieść te wszystkie obelgi, które mysz wyrzucała z siebie przez cały czas pod adresem handlarza niewolników. Ale on nic sobie z tego nie robił, a nawet wtrącał co jakiś czas, gdy Ryczypisk przerywał dla nabrania oddechu: „No, dalej, powiedz coś jeszcze!" albo: „Psiajucha, trudno w to uwierzyć, ale mówi tak, jakby wiedział, co mówi", albo: „Czy to jedno z was tak ją wytresowało?" Te uwagi tak rozwścieczyły Ryczypiska, że w końcu zachłysnął się zbyt wielką liczbą słów, które chciał wyrzucić z siebie jednocześnie, więc tylko krótko zabulgotał i ucichł.

Doszli w końcu do małej wioski nad cieśniną dzielącą Felimatę od Dornu. Na piasku leżała długa łódź, a w pewnej odległości od brzegu kołysał się jakiś brudny, prymitywnie wyglądający statek.

– A teraz, droga młodzieży – powiedział handlarz – tylko bez awantur, a nie będzie powodów do płaczu. Wszyscy do łodzi.

W tym momencie z jednego z domów (wyglądającego na gospodę) wyszedł jakiś postawny, brodaty mężczyzna i powiedział:

– Hej, Glino, widzę, że masz świeży towar?

Handlarz, który najwidoczniej nazywał się Glino, skłonił się nisko i powiedział przymilnym głosem:

– A tak, wasza wysokość, jest tego trochę.

– Ile chcesz za tego chłopca? – zapytał mężczyzna, wskazując na Kaspiana.

– Och, wiedziałem, że wasza wysokość od razu wyłowi najlepszego – odrzekł Glino. – Nie ma mowy o wciśnięciu waszej wysokości towaru drugiej klasy. Ten chłopiec, hm, prawdę mówiąc, chciałbym go zatrzymać dla siebie. Bardzo mi się spodobał. Tak. Mam takie miękkie serce, że właściwie nie powinienem się w ogóle brać za to zajęcie. Ale dla klienta takiego jak wasza wysokość...

– Powiedz mi swoją cenę, ty hieno – przerwał mu mężczyzna chłodno. – Czy myślisz, że mam ochotę wysłuchiwać tego bajdurzenia, które jest częścią twojego brudnego zawodu?

– Trzysta krescentów, wasza wysokość, tylko trzysta krescentów dla waszej wysokości, bo dla każdego innego...

– Dam ci sto pięćdziesiąt.

– Och, błagam! – nie wytrzymała Łucja. – Błagam, nie rozdzielajcie nas, cokolwiek z nami zrobicie. Nie wiecie, że... – i urwała, widząc, że nawet teraz Kaspian nie chce zdradzić, kim jest naprawdę.

– A więc sto pięćdziesiąt – powtórzył mężczyzna. – Jeśli o ciebie chodzi, panienko, to przykro mi, ale nie mogę cię kupić. Rozwiąż mojego chłopca, Glino. I słuchaj uważnie: traktuj pozostałych dobrze, póki są w twoich rękach, bo pożałujesz.

– Dobrze? – powiedział Glino. – Czy słyszano, by ktokolwiek z mojej branży dbał o swoją trzódkę lepiej ode mnie? Ja o nich dbam jak o własne dzieci!

– Zdaje się, że tym razem powiedziałeś prawdę – zauważył mężczyzna ponuro.

Teraz nadeszła okropna chwila. Kaspian został uwolniony z więzów, jego nowy pan powiedział: „Chodź ze mną, chłopcze", Łucja wybuchnęła płaczem, a Edmund zrobił się biały jak papier. Ale Kaspian odwrócił się do nich i powiedział:

– Głowa do góry. Jestem pewien, że wszystko dobrze się skończy. Do zobaczenia!

– Hej, panienko – odezwał się Glino. – Nie przejmuj się tym wszystkim i nie zepsuj mi swojego wyglądu do jutrzejszego targu. Bądź miłą dziewczynką, a nie będziesz miała powodu do płaczu. Rozumiemy się?

Przewieziono ich łodzią na statek i zamknięto w długim, ciemnym i brudnym pomieszczeniu pod pokładem, gdzie zastali już więcej takich jak oni nieszczęśników. Glino był po prostu piratem i właśnie wrócił z kolejnej wyprawy, podczas której jego ludzie porywali, kogo tylko zobaczyli na okolicznych wyspach. Dzieci nie spotkały tu nikogo znajomego, więźniowie byli w większości Galmijczykami i Terebintyjczykami. Usiedli na nędznej słomie i zaczęli rozmyślać, co się stało z Kaspianem, próbując co jakiś czas uciszyć Eustachego, który bezustannie oskarżał wszystkich – prócz siebie – o to, co się stało.

Dla Kaspiana los okazał się bardziej łaskawy. Jego nowy właściciel poprowadził go wąską ścieżką pomiędzy dwoma domami, a potem na otwartą przestrzeń poza wioską. Tutaj zatrzymał się, odwrócił i popatrzył na chłopca.

– Nie musisz się mnie lękać, chłopcze – powiedział. – Będę cię dobrze traktował. Kupiłem cię ze względu na twoją twarz. Bardzo mi kogoś przypominasz.

– Czy mogę zapytać, kogo, panie? – spytał Kaspian.

– Przypominasz mi mojego króla, Kaspiana, władcę Narnii.

Wtedy Kaspian zdecydował się postawić wszystko na jedną kartę.

– Panie mój – rzekł – ja jestem twoim królem. Jestem Kaspian, król Narnii.

– Wolnego, mój chłopcze! – zawołał mężczyzna. – Masz na to jakieś dowody?

– Pierwszym jest moja twarz. Drugim fakt, że wiem, kim jesteś. Jesteś jednym z siedmiu baronów narnijskich, których mój wuj Miraz wysłał za morze i na poszukiwanie których wyprawiłem się w tę podróż. Jesteś więc albo Argozem, albo Bernem, albo Oktezjanem, albo Restimarem, albo Mavramornem, albo… albo… och, zapomniałem imion pozostałych. A w końcu, jeśli tylko dostanę miecz, udowodnię każdemu w uczciwym pojedynku, że jestem Kaspianem, synem Kaspiana, prawowitym Królem Narnii, Panem na Ker-Paravelu, Cesarzem Samotnych Wysp!

– Wielkie nieba! – zawołał mężczyzna. – To głos jego ojca i ten sam styl! Wasza królewska mość, przyjmij mój hołd! – I tak jak stał, ukląkł w szczerym polu i ucałował rękę króla.

– Pieniądze, które waszmość za nas wyasygnował, zostaną zwrócone z naszego skarbca – powiedział Kaspian.

– Jeszcze ich Glino nie ma w swej sakiewce – przerwał mu baron Bern, bo on to właśnie był – i wierzę, że ich nigdy mieć nie będzie. Już ze sto razy błagałem jego samowystarczalność gubernatora, by wyplenił ten handel żywym towarem.

– Baronie Bernie – rzekł Kaspian – musimy pomówić o sytuacji na tych wyspach. Ale najpierw pragnę usłyszeć o losach waszmości.

– Krótka to historia – odpowiedział Bern. – Razem z moimi sześcioma towarzyszami zawędrowałem aż tutaj, pokochałem dziewczynę z tych wysp i stwierdziłem, że mam już dość morza. Nie było po co wracać do Narnii, dopóki wuj waszej królewskiej mości wciąż dzierżył berło, więc ożeniłem się i osiadłem tutaj.

– A jaki jest ten gubernator, Gumpas? Czy wciąż uznaje władzę króla Narnii?

– W słowach – tak. Wszystko robi się tutaj w imię króla Narnii. Ale nie sądzę, by Gumpas bardzo się ucieszył, gdyby dowiedział się, że przybył tu prawdziwy, żywy król. A gdyby wasza królewska mość stanął przed nim sam, nieuzbrojony... cóż, pewno by się nie wyparł swojej zależności od Narnii, ale po prostu by oznajmił, że nie ma powodu ci wierzyć. Życie waszej królewskiej mości byłoby w niebezpieczeństwie. A co właściwie sprowadza was na te wody?

– Tam, za przylądkiem, jest mój okręt – powiedział Kaspian. – Mam za sobą siłę około trzydziestu mieczy, gdyby przyszło walczyć. Czy nie powinniśmy dotrzeć do mojego okrętu, zaatakować Glina i uwolnić moich przyjaciół?

– Nie radzę tego czynić – odparł Bern. – Jak tylko zacznie się walka, z Narrowhaven wyruszą dwa lub trzy okręty, by wesprzeć Glina. Wasza królewska mość musi zrobić wrażenie, że ma ze sobą o wiele potężniejszą armię, i wykorzystać blask swego imienia i tytułu. Gumpas ma zajęcze serce i może się przestraszyć.

Porozmawiali jeszcze chwilę, a potem zeszli na brzeg morza, nieco na zachód od wioski, i tutaj Kaspian wyjął mały róg i zagrał. (Nie był to, oczywiście, magiczny róg narnijski, Róg Królowej Zuzanny; ten król zostawił swojemu regentowi Zuchonowi, przykazując mu, by użył go tylko wtedy, gdy kraj znajdzie się w śmiertelnym niebezpieczeństwie.) Oczekujący sygnału Drinian rozpoznał od razu królewski róg i skierował „Wędrowca do Świtu" ku brzegowi. Spuszczono szalupę i w ciągu kilku minut Kaspian i baron Bern byli już na pokładzie, zapoznając kapitana z rozwojem wydarzeń. Drinian, podobnie jak uprzednio Kaspian, chciał od razu

ścigać statek z niewolnikami i dokonać abordażu, ale Bern powtórzył swoje argumenty.

— Steruj prosto na północny wschód, kapitanie, a potem wokół wyspy Awry, gdzie są moje posiadłości. Ale najpierw każ wciągnąć królewski proporzec, wywiesić za burty wszystkie tarcze i zapełnić pokład bitewny tyloma ludźmi, ilu tam się zmieści. Gdy oddalimy się na jakieś pięć strzałów z łuku, już na otwartym morzu, wywieś flagi sygnałowe z rozkazem.

— Z rozkazem? Dla kogo? — zapytał Drinian.

– Dla kogo? Dla tych wszystkich pozostałych okrętów, których nie mamy. Dobrze by było, żeby Gumpas myślał, że czekają na nasz rozkaz.

– Och, teraz rozumiem – powiedział Drinian, zacierając ręce. – Oni odczytają nasze sygnały. Co nadamy? „Do całej floty: okrążyć Awrę od południa i zatrzymać się w..."

– W Bernstead – podpowiedział mu baron Bern.

– Tak będzie najlepiej. Cała droga tej floty – oczywiście, gdyby tam BYŁY jakieś okręty – jest poza polem obserwacji z Narrowhaven.

Kaspianowi żal było reszty towarzyszy uwięzionych marnie pod pokładem statku Glina, ale trudno mu było nie cieszyć się resztą dnia. Późnym popołudniem (musieli płynąć przy użyciu wioseł), zrobiwszy najpierw zwrot przez sterburtę i opłynąwszy Dorn od północnego wschodu, a następnie, znowu sterując w lewo, wokół południowo-zachodniego przylądka Awry, wpłynęli do wygodnej przystani na południowym brzegu wyspy, gdzie włości Berna sięgały aż do morza. Wszyscy jego ludzie – wielu z nich zobaczyli przy pracy w polu – byli wolnymi obywatelami tego szczęśliwego i dobrze zagospodarowanego lenna.

Tutaj zeszli na ląd wraz z załogą i zostali podjęci królewską ucztą w niskim, podpartym kolumnami domu z widokiem na zatokę. Bern oraz jego pełna wdzięku żona i wesołe córki podnieśli ich trochę na duchu. Kiedy zapadła ciemność, Bern wysłał swojego człowieka łodzią na Dorn, aby poczynił pewne przygotowania (nie powiedział jakie) na następny dzień.

ROZDZIAŁ 4

Co zrobił Kaspian

NASTĘPNEGO RANKA baron Bern zbudził wcześnie swoich gości i po śniadaniu poradził Kaspianowi, by rozkazał swym ludziom nałożyć pełen rynsztunek bojowy.

– I pamiętajcie – dodał – niech wszystko będzie tak przygotowane i wyczyszczone, jakby to był poranek przed pierwszą bitwą w wielkiej wojnie między szlachetnymi monarchami na oczach całego świata.

Tak zrobiono, a potem popłynęli trzema barkami – Kaspian ze swoimi ludźmi i Bern z częścią swoich – do Narrowhaven. Na łodzi Kaspiana powiewała królewska chorągiew, a towarzyszył mu herold.

Kiedy dopłynęli do nabrzeży portu, Kaspian zobaczył, że zgromadził się tam spory tłum.

– Po to właśnie wysłałem swojego człowieka zeszłego wieczoru – powiedział Bern. – To są wszystko moi przyjaciele, uczciwi ludzie.

Gdy tylko Kaspian postawił nogę na nabrzeżu, tłum zaczął wiwatować na jego cześć, skandując: „Nar-nia! Nar-nia! Niech żyje król!" W tej samej chwili – a i to było zasługą posłańców Berna – w całym mieście zaczęły bić dzwony. Kaspian rozkazał swemu chorążemu wznieść wysoko królewską chorągiew, a heroldowi grać na trąbce, a potem każdy z jego ludzi dobył miecza i przybrał najsroższą, choć wcale nie ponurą minę, i w błyszczącym pochodzie, ze szczękiem oręża, wkroczyli do miasta. Ulica zadrżała, a w dobrze wyczyszczonym rynsztunku słońce zapłonęło tak, że trudno było na nich zbyt długo patrzeć.

Z początku jedynymi ludźmi, którzy ich witali, byli ci, których powiadomił posłaniec Berna – ci, którzy wiedzieli, co to wszystko oznacza i bardzo tego pragnęli. Ale potem na ulice wyległy wszystkie dzieci, jako że wszystkie dzieci lubią takie pochody, a te z Narrowhaven nie miały okazji widywać ich zbyt często. Wkrótce przyłączyli się do nich uczniowie, ponieważ również lubili pochody, a poza tym wiedzieli, że im więcej hałasu i zamieszania, tym większa szansa na to, że tego ranka nie będzie lekcji. A potem wszystkie stare kobiety wystawiły głowy z drzwi i okien i zaczęły trajkotać między sobą i wiwatować, bo przecież to był król, a czym jest gubernator w porównaniu z królem? I wszystkie młode kobiety przyłączyły się do nich z tej samej przyczyny, a także i dlatego, że Kaspian, Drinian i pozostali rycerze byli tacy przystojni! A wszyscy młodzieńcy poszli zobaczyć, na co patrzą dziewczęta. I tak, zanim orszak Kaspiana dotarł do bram zamku, prawie całe miasto wyległo na ulice, wrzeszcząc i wiwatując, aż hałas usłyszał Gumpas, który miotał się w swym zamku, próbując tak pomieszać i pofałszować rachunki, formularze, przepisy i prawa, aby ukryć swoje matactwa i oszustwa.

Przed bramą zamku herold królewski zagrał na trąbce i zawołał:

– Otworzyć bramę przed królem Narnii, który przybywa w odwiedziny do swego zaufanego i umiłowanego sługi, gubernatora Samotnych Wysp!

W tamtych czasach na Wyspach wszystko robiono w wyjątkowo niechlujny i bałaganiarski sposób. Na dźwięk trąbki otworzyły się w bramie małe drzwiczki i wyszedł z nich rozczochrany człeczyna w starym, brudnym kapeluszu zamiast hełmu i z równie starą, zardzewiałą piką w ręku. Na widok połyskujących w słońcu postaci zamrugał i wybełkotał:

– Nie-żecie-aczyć-gotaczalności – (co miało oznaczać: „Nie możecie zobaczyć jego samowystarczalności"). – Nie ma widzeń bez aąroszenia rócz ędzy dzieątą i siątą w każdą rugą ootę siąca.

– Odkryj swą głowę przed Narnią, psie! – zagrzmiał baron Bern i trzepnął go dłonią w rękawicy, zrzucając mu kapelusz z głowy.

– He... ee... O co tu ściwie chodzi?... – zaczął odźwierny, ale nikt nie zwracał na niego uwagi. Dwóch ludzi Kaspiana przecisnęło się przez drzwiczki i uporawszy się z ryglami i sztabami (wszystko było strasznie zardzewiałe), rozwarło szeroko oba skrzydła bramy. Król i jego orszak wkroczyli na dziedziniec. Tu zastali nieco ludzi ze straży gubernatora, którzy wałęsali się bez celu, podczas gdy inni wychodzili z różnych drzwi, najczęściej obcierając sobie usta rękami. Chociaż ich rynsztunek znajdował się w opłakanym stanie, wyglądali na żołnierzy, których stać na walkę, gdyby tylko ktoś ich poprowadził, albo gdyby wiedzieli, co się w ogóle dzieje – był to więc niebezpieczny moment. Ale Kaspian nie dał im czasu na myślenie.

– Gdzie jest kapitan? – zapytał.

– Ja nim jestem, w większym lub mniejszym stopniu, jeśli wiecie, co mam na myśli – odezwał się rozmamłany, dandysowaty młodzieniec, niemający na sobie ani kawałka zbroi.

— Jest naszym życzeniem — rzekł Kaspian — by nasza królewska wizytacja naszych posiadłości na Samotnych Wyspach stała się dla naszych lojalnych poddanych, jeśli to możliwe, okazją do radości, a nie strachu. Gdyby tak nie było, miałbym coś do powiedzenia na temat stanu rynsztunku i broni twoich ludzi. Ale ponieważ tak jest, przebaczam ci. Każ otworzyć beczułkę wina, aby twoi ludzie mogli wypić nasze zdrowie. Jutro w południe chcę widzieć ich tu, na dziedzińcu, i żeby mi wyglądali jak żołnierze pod bronią, a nie jak włóczędzy. Dopilnuj tego, jeśli nie chcesz się narazić na nasze najgłębsze niezadowolenie.

Kapitan gapił się na niego z rozdziawionymi ustami, gdy Bern zawołał:

— Trzy razy „hurra" na cześć króla!

Żołnierze, do których dotarło tylko coś o beczułce wina, wrzasnęli ochoczo. Teraz Kaspian rozkazał większej części swoich ludzi pozostać na dziedzińcu, a sam, z Bernem, Drinianem i czterema rycerzami, wkroczył do wielkiej sali zamkowej.

W dalekim końcu sali, za stołem, otoczony sekretarzami, siedział Jego Samowystarczalność Gubernator Samotnych Wysp. Gumpas był stetryczałym, niezbyt miło wyglądającym mężczyzną, z włosami, które kiedyś były rude, a teraz przeważnie siwe. Rzucił krótkie spojrzenie na wchodzących i zaraz powrócił do swoich papierów, mówiąc automatycznie:

— Żadnych widzeń bez uzgodnienia prócz jednej godziny między dziewiątą a dziesiątą wieczorem w każdą drugą sobotę miesiąca.

Kaspian dał znak Bernowi, a sam stanął z boku. Bern i Drinian podeszli do stołu, schwycili go z dwóch stron, podnieśli do góry i cisnęli daleko, aż potoczył się pod ścianę, rozsypując deszcz listów, raportów, kałamarzy, piór, wosku do pieczęci i dokumentów. Potem – niezbyt brutalnie, ale z taką siłą, jakby ich dłonie były stalowymi obcęgami – wyciągnęli Gumpasa z fotela i opuścili na podłogę nieco dalej. Kaspian natychmiast zasiadł w fotelu i wsparł dłonie na nagim mieczu ustawionym między kolanami.

– Mój panie – powiedział z oczami utkwionymi w Gumpasie – nie przywitałeś nas tak, jak tego oczekiwaliśmy. Jestem królem Narnii.

– Nie było nic na ten temat w korespondencji – odrzekł gubernator. – Nic a nic w protokołach. Nie uzgadniano z nami takiej ewentualności. Wszystko to jest sprzeczne z przepisami. Chętnie jednak rozpatrzymy...

— I przybyliśmy tutaj, aby osobiście sprawdzić, jak wasza samowystarczalność pełni swój urząd — ciągnął Kaspian. — Są zwłaszcza dwa punkty, co do których żądam wyjaśnień. Po pierwsze, już od stu pięćdziesięciu lat nie pojawiają się w naszych dokumentach adnotacje, że wpłynęła stosowna danina, jaką te Wyspy obowiązane są płacić Koronie Narnii.

— To będzie właśnie tematem najbliższego posiedzenia Rady w przyszłym miesiącu — powiedział Gumpas. — Jeżeli ktoś postawi wniosek, by powołać komisję do zbadania finansowej historii Wysp i opracować raport na pierwsze posiedzenie Rady w przyszłym roku, to...

— Stwierdziłem także, że nasze prawa dość jasno stanowią, co następuje — ciągnął Kaspian, nie zwracając uwagi na jego słowa. — Jeśli danina nie zostanie dostarczona, cały dług ma być pokryty przez gubernatora Samotnych Wysp z jego prywatnego skarbca.

Dopiero teraz Gumpas zaczął okazywać objawy niepokoju.

— Och, to jest zupełnie niemożliwe — powiedział. — To ekonomiczny absurd... e-e-e-e... wasza królewska mość chyba żartuje...

Mówiąc to, Gumpas myślał gorączkowo, czy jest jakiś sposób uwolnienia się z rąk tych nieproszonych gości. Gdyby wiedział, że Kaspian ma tylko jeden okręt, a ze sobą tylko nieliczną załogę, dążyłby do zyskania na czasie, odpowiadając uprzejmie i pokornie, mając jednocześnie nadzieję otoczyć ich i wybić co do jednego po zapadnięciu nocy. Widział jednak poprzedniego dnia okręt wojenny żeglujący przez cieśninę i dający jakieś sygnały – zapewne innym okrętom z flotylli narnijskiej. Wówczas nie wiedział jeszcze, że to okręt króla, ponieważ nie było wiatru, który by rozwinął królewski proporzec i ukazał złotego lwa, czekał więc na rozwój wypadków. Teraz był przekonany, że Kaspian ma ze sobą całą flotę, czekającą w Bernstead. Gumpasowi po prostu nie przeszło nawet przez myśl, że ktoś mógłby wkroczyć do Narrowhaven z zamiarem podbicia wyspy, mając tylko pięćdziesięciu ludzi; z całą pewnością przekraczało to granice jego wyobraźni.

– Po drugie – mówił dalej Kaspian – pragnę wiedzieć, dlaczego zezwoliłeś, by ów ohydny i sprzeczny z naturą handel niewolnikami tak się tu rozplenił wbrew starożytnym obyczajom i prawom naszego państwa.

– To było konieczne, nie do uniknięcia – odpowiedział Gumpas. – To podstawa ekonomicznego rozwoju Wysp. Zapewniam waszą królewską mość, że nasz obecny, jakże imponujący dobrobyt właśnie od tego zależy.

– Jaką macie korzyść z niewolników?

– Towar na eksport, wasza królewska mość. Sprzedajemy ich głównie do Kalormenu, ale mamy także inne rynki zbytu. Jesteśmy poważnym ośrodkiem tego handlu.

– A więc wy sami ich nie potrzebujecie – zauważył Kaspian. – Czemu więc służą, prócz nabijania pieniędzmi kieszeni takich ludzi jak Glino?

– Będąc jeszcze młodzieńcem – odpowiedział Gumpas z miną, która miała oznaczać ojcowską pobłażliwość

– wasza królewska mość z całą pewnością nie potrzebuje i nie musi rozumieć wszystkich problemów ekonomicznych, które tu wchodzą w grę. Mam odpowiednie statystyki, mam wykresy, mam...

– Niezależnie od mojego młodego wieku – rzekł Kaspian – wydaje mi się, że potrafię zrozumieć sens handlu niewolnikami równie dobrze jak wasza samowystarczalność. I jakoś nie widzę, by handel ten dawał Wyspom więcej mięsa lub chleba, lub piwa, lub wina, lub drzewa, lub kapusty, lub książek, lub instrumentów muzycznych, lub koni, lub uzbrojenia, lub czegokolwiek jeszcze, co warto mieć. Ale bez względu na to, czy coś daje, czy nie, musi się skończyć.

– Ależ to próba cofania wskazówek zegara historii – wykrztusił gubernator. – Czy wasza królewska mość nie wie, co to jest postęp, co to jest rozwój?

– Widziałem coś takiego w zwykłym jajku – powiedział Kaspian. – W Narnii mówimy po prostu, że jajko się zepsuło. Ten handel musi się skończyć.

– Nie mogę wziąć na siebie żadnej odpowiedzialności za takie metody – rzekł Gumpas.

– Świetnie się składa – przerwał mu Kaspian – bo oto zwalniamy cię z twoich obowiązków. Baronie Bernie, zbliż się tutaj.

I zanim do Gumpasa dotarło, co się dzieje, już Bern klęczał przed królem, przysięgając rządzić Samotnymi Wyspami zgodnie ze starymi obyczajami, ustawami, tradycjami i prawami Narnii. A potem Kaspian powiedział: „Myślę, że już dość mamy gubernatorów" i uczynił Berna księciem, Księciem Samotnych Wysp.

– Co do ciebie, mój panie – rzekł do Gumpasa – to daruję ci dług za niedostarczoną daninę, ale do jutra w południe musisz się wynieść z tego zamku razem ze swoimi ludźmi. Zamek jest obecnie rezydencją księcia.

– Wszystko to pięknie – odezwał się jeden z sekretarzy Gumpasa – ale może by tak skończyć tę komedię i przejść do interesów? Nasz prawdziwy problem, to...

– Prawdziwy problem polega na tym – rzekł książę – czy ty i cała reszta tej hałastry opuścicie zamek bez chłosty, czy też z chłostą. Wybór należy do was.

Kiedy wreszcie wszystko zostało miło i spokojnie wyjaśnione, Kaspian zażądał koni, których kilka – choć bardzo zaniedbanych – pozostało jeszcze w zamku, i z Bernem, Drinianem i paroma rycerzami wyjechał do miasta, kierując się w stronę targowiska niewolników. Był to długi, niski budynek w pobliżu przystani. To, co zobaczyli po wejściu do środka, przypominało każdą inną wyprzedaż: pełno było ludzi, ponad którymi wydzierał się ochrypłym głosem Glino:

– A teraz, panowie, numer dwadzieścia trzy. Świetny parobek z Terebintu, doskonały do kopalni lub galer. Nie ma jeszcze dwudziestu pięciu lat. Niezłe zęby. Dobry, krzepki osiłek. Ściągnij mu koszulę, Teks, niech panowie sami popatrzą. Oto muskuły, jakich wam potrzeba! Spójrzcie na ten tors. Dziesięć krescentów od pana w rogu. Pan chyba żartuje! Piętnaście! Osiemnaście! Osiemnaście po raz pierwszy za numer dwadzieścia trzy. Nikt nie podbija? Dwadzieścia jeden. Dzięki, panie. Dwadzieścia jeden po raz pierwszy...

Ale tu Glino urwał nagle i stał z otwartymi ustami, gapiąc się na okryte kolczugami postacie wspinające się na platformę.

– Na kolana, wszyscy co do jednego, przed królem Narnii! – zawołał książę. Wszyscy usłyszeli rżenie koni i stuk kopyt na zewnątrz, a do wielu dotarły już pogłoski o wylądowaniu obcych wojsk i o wydarzeniach na zamku. Większość natychmiast usłuchała. Ci, którzy się namyślali, zostali pociągnięci na podłogę przez swoich sąsiadów. Rozległy się słabe wiwaty.

– Za targnięcie się na nietykalność naszej królewskiej osoby – rzekł Kaspian do Glina – powinienem ci odebrać życie. Ale wybaczam ci z powodu twej ignorancji. Kwadrans temu handel niewolnikami został zakazany w całym państwie. Oświadczam, że każdy niewolnik na tym targu jest wolny!

Podniósł rękę, aby uciszyć wiwaty wyzwoleńców, i ciągnął dalej:

– Gdzie są nasi przyjaciele?

– Ta kochana dziewczynka i ten milutki młodzieniec? – zapytał Glino, uśmiechając się przymilnie. – No cóż, capnięto ich od razu i…

– Tu jesteśmy! Tu jesteśmy, Kaspianie! – rozległy się głosy Łucji i Edmunda, a z drugiego końca hali dobiegł cienki głos Ryczypiska:

– Do usług, miłościwy panie!

Wszyscy troje zostali już sprzedani, ale na szczęście ich nowi właściciele nie opuścili jeszcze targu, pragnąc wziąć udział w dalszej licytacji. Tłum rozstąpił się, aby ich przepuścić, i za chwilę wszyscy byli świadkami serdecznych uścisków i powitań. W chwilę później zbliżyło się dwu kupców z Kalormenu. Kalormenowie mają ciemne twarze i długie brody, noszą obszerne, powiewne szaty i pomarańczowe turbany. Ten starożytny lud odznacza się mądrością, bogactwem, wyszukanymi manierami i okrucieństwem. Skłonili się uprzejmie przed Kaspianem i obsypali go swoimi zwykłymi pochlebstwami, w których była mowa o fontannie dobrobytu nawadniającej ogrody roztropności i męstwa oraz o wielu podobnych rzeczach, ale oczywiście chodziło im o pieniądze, które zapłacili.

– Należą się wam sprawiedliwie, mości panie – rzekł Kaspian. – Każdy, kto dziś kupił niewolnika, musi dostać swoje pieniądze z powrotem. Glino, oddaj to, co już wziąłeś, do ostatniego minima*.

– Wasza królewska mość! Czyżbyś chciał puścić mnie z torbami? – zaskamlał Glino.

– Przez całe życie zarabiałeś na złamanych sercach – powiedział Kaspian. – Jeżeli rzeczywiście będziesz musiał żebrać, to pociesz się, że na pewno lepiej być żebrakiem niż niewolnikiem. Ale gdzie jest jeszcze jeden z moich przyjaciół?

– Ach, TEN? – rzekł Glino. – Och, zabierz go czym prędzej, a będę ci wdzięczny do grobowej deski. Jeszcze nigdy nie widziałem takiego bubla na tym targu! W końcu wyceniłem go na pięć krescentów, ale i to nie zachęciło żadnego z kupujących. Co mówię, chciałem go dołożyć za darmo do innych numerów, ale

---

* Jeden minim stanowi czterdziestą część krescenta.

nikt go nie chciał. Nikt go nawet nie dotknął. Nikt na niego nie spojrzał. Teks, przyprowadź tu Dąsacza.

Ukazał się wreszcie Eustachy, rzeczywiście okropnie nadąsany, czemu zresztą trudno się dziwić. Ostatecznie nikt nie chce zostać sprzedany na targu niewolników, ale chyba jeszcze gorzej jest stać się czymś w rodzaju publicznej własności, której nikt nie chce kupić. Podszedł do Kaspiana i powiedział:

– No tak. Jak zwykle. Bawimy się w najlepsze, podczas gdy reszta marnieje w lochu. Jestem pewien, że nawet się nie starałeś znaleźć brytyjskiego konsula. Oczywiście.

Tego wieczoru wyprawili wielką ucztę na zamku Narrowhaven. Zanim poszli spać, Ryczypisk ukłonił się każdemu z osobna na dobranoc i powiedział:

– Do jutra, do początku naszych prawdziwych przygód!

Ale tak naprawdę nie mogło to być ani jutro, ani pojutrze. Teraz bowiem musieli się dobrze przygotować do drogi, która miała ich zaprowadzić poza wszystkie znane kraje i morza. „Wędrowiec do Świtu" został całkowicie opróżniony i wciągnięty na ląd po drewnianych rolkach przez osiem koni, a następnie każdy kawałeczek okrętu został poddany dokładnym oględzinom przez najbardziej wytrawnych szkutników i cieśli. Dopiero wtedy spuszczono statek na wodę i napełniono prowiantem – jedzeniem i wodą – tak, jak to było możliwe, czyli na dwadzieścia osiem dni podróży. Ale i te zapasy – jak zauważył Edmund z niezadowoleniem – pozwalały im na żeglowanie na wschód tylko przez dwa tygodnie: jeżeli do tego czasu nie osiągną celu wyprawy, będą musieli wracać do Samotnych Wysp.

Kiedy czyniono przygotowania do podróży, Kaspian nie marnował czasu i starał się wypytać najstarszych kapitanów, jakich mógł znaleźć w Narrowhaven, o wszystko, co widzieli sami lub o czym choćby słyszeli na temat wschodnich rejsów. Wiele gąsiorów piwa z zamkowych piwnic musiał przynieść, by rozwiązać języki tych ogorzałych wilków morskich z krót-

kimi, szarymi brodami i jasnymi, niebieskimi oczami. Usłyszał wiele opowieści. Lecz ci, którzy wyglądali na najbardziej prawdomównych, nie potrafili powiedzieć nic o jakichkolwiek lądach poza Samotnymi Wyspami. Wielu sądziło, że kiedy się pożegluje zbyt daleko na wschód, dopływa się do strefy wiecznie skłębionego, wirującego morza bez lądu – do oceanu, który otacza całą ziemię. „I właśnie tam, jak amen w pacierzu, poszli na dno przyjaciele waszej królewskiej mości", dodawali. Reszta wilków morskich opowiadała fantastyczne historie o wyspach zamieszkanych przez ludzi bez głów, o wyspach fruwających, o trąbach morskich i ogniu, co płonie na powierzchni wody. Tylko jeden, ku radości Ryczypiska, powiedział: „A jeszcze dalej jest kraina Aslana. Ale to już jest poza krawędzią świata i nie można tam dopłynąć". Kiedy jednak zapytali go o szczegóły, wyznał tylko, że słyszał to od swego ojca.

Bern potrafił im powiedzieć jedynie to, że widział, jak jego sześciu towarzyszy pożeglowało na wschód; od tej pory nikt o nich nie słyszał. Powiedział to, gdy wraz z Kaspianem stali na najwyższym wzgórzu Awry, patrząc na wschodni ocean.

– Często tu przychodziłem – rzekł książę – i patrzyłem na słońce wynurzające się z morza. Czasami wydawało mi się, że to zaledwie kilka mil stąd. I myślałem o moich towarzyszach, i zastanawiałem się, co też naprawdę jest poza widnokręgiem. Prawdopodobnie nie ma nic, ale zawsze trochę mi wstyd, że sam tam nie popłynąłem. Prawdę mówiąc, wcale mi się nie uśmiecha zamysł waszej królewskiej mości. Będziemy tutaj potrzebować twojej, panie, pomocy. Zakaz handlu niewolnikami może tu stworzyć zupełnie inny świat. Jedno, co już mogę przewidzieć, to wojna z Kalormenami. Panie mój, przemyśl to jeszcze raz!

– Złożyłem przysięgę, książę – odpowiedział Kaspian. – A zresztą, co bym powiedział Ryczypiskowi?

ROZDZIAŁ 5

Burza – i co z niej wynikło

MINĘŁY JEDNAK PRAWIE TRZY TYGODNIE od ich wylądowania na Samotnych Wyspach, zanim „Wędrowiec do Świtu" został wreszcie wyprowadzony z przystani Narrowhaven. Padły uroczyste słowa pożegnań i wielki tłum zebrał się na nabrzeżu, aby zobaczyć, jak odpływają. Były i wiwaty, i trochę łez, gdy Kaspian wygłosił swoje ostatnie przemówienie do mieszkańców Wysp i rozstał się z księciem i jego rodziną. Aż wreszcie, kiedy okręt odpłynął do brzegu, z purpurowymi żaglami łopoczącymi na słabym wietrze, a dźwięk królewskiej trąbki z pokładu rufowego stawał się coraz słabszy i słabszy, na nabrzeżu zaległa cisza. Potem okręt złapał wiatr. Żagle wybrzuszyły się, holująca ich barka zabrała cumy i skierowała się do brzegu, pierwsza prawdziwa fala uderzyła o dziób i „Wędrowiec do Świtu" rozpoczął swój nowy rejs. Marynarze, którzy nie mieli wachty, zeszli pod pokład, a Drinian zajął swe stanowisko na rufie i skierował okręt na wschód, wokół południowych brzegów Awry.

Teraz nadeszły cudowne dni. Łucja myślała, że jest najszczęśliwszą dziewczynką na świecie, kiedy budząc się rano, widziała słoneczne odbicia tańczące po suficie kajuty, a naokoło siebie wszystkie wspaniałe nowe rzeczy, które dostała na Samotnych Wyspach: wysokie żeglarskie buty, chodaki, płaszcze, kurty i szale. A potem mogła wyjść na pokład, wdychać cudowne, z każdym dniem cieplejsze powietrze i patrzeć z pokładu dziobowego na morze, każdego ranka coraz bardziej niebieskie. Potem nadchodziła pora śniadania, które zjadała z apetytem, jaki można mieć tylko na morzu.

Wiele godzin spędzała na ławeczce w kajucie sterówki, grając z Ryczypiskiem w szachy. Cóż to był za widok: Ryczypisk podnoszący figury – z całą pewnością dla niego za duże – dwiema łapami i wspinający się na palce, gdy przychodziło mu zrobić ruch na środku szachownicy. Był dobrym graczem i jeśli tylko pamiętał, co robi – wygrywał. Ale rzadko to się zdarzało. Najczęściej wykonywał nagle jakiś zupełnie zwariowany ruch, jak postawienie konia w miejscu zagrożonym jednocześnie i przez królową, i przez wieżę. A działo się tak, ponieważ zbyt często zapominał, że to gra w szachy, a nie prawdziwa bitwa: jego rycerz na koniu musiał po prostu zrobić to, co sam Ryczypisk uczyniłby bez wątpienia na jego miejscu, nie bacząc na jakiekolwiek niebezpieczeństwo. Serce Ryczypiska bowiem wypełniały nadzieje, które nie miały szans spełnienia. Marzył o ostatnich redutach i szaleńczych szarżach, w których czeka śmierć lub chwała.

Te miłe dni nie trwały jednak długo. Pewnego wieczoru, kiedy Łucja wpatrywała się bezczynnie w długą, pienistą bruzdę, jaką zostawiali za sobą, zobaczyła na zachodnim niebie kłębowisko chmur, rosnące w górę i wszerz ze zdumiewającą szybkością. Potem w chmurach zrobiła się dziura i wylało się przez nią żółtawe światło zachodzącego słońca. Fale za rufą zaczęły rosnąć, a morze zrobiło się żółtobrązowe, jak przypalone płótno. Powiało chłodem. Okręt parł do przodu niespokojnie, jakby wyczuł za sobą niebezpieczeństwo. Żagle łopotały; raz po raz zwisały luźno, by w następnej chwili wypełnić się wiatrem do granic wytrzymałości. Łucja obserwowała to wszystko i gdy zastanawiała się nad złowieszczą zmianą w szumie wiatru, rozległ się okrzyk Driniana: „Wszyscy na pokład!" Wkrótce cała załoga miała pełne ręce roboty. Zakryto szczelnie luki, wygaszono ogień pod kuchnią, marynarze wspięli się na maszt, by zwinąć żagiel. Nim skończyli, burza uderzyła w okręt. Łucja zobaczyła, że nagle tuż przed dziobem otworzyła się w morzu wielka dolina, w którą pomknęli, spadając w dół głębiej, niż można było uwierzyć. Na spotkanie ruszyła im olbrzymia szara góra wody, o wiele wyższa niż maszt; zdawało się, że to już koniec, ale nie, okręt wzniósł się na jej szczyt i obrócił bokiem do fali. Runęła na niego kaskada wody, zalewając go całkowicie, tak że pokład dziobowy i rufowy wyglądały przez chwilę jak dwie wyspy rozdzielone dziko wzburzonym morzem. W górze marynarze przylgnęli do rei, rozpaczliwie próbując opanować żagle. Zerwana lina naprężyła się na wietrze, sztywna i prosta jak kij.

– Na dół, pani! – zawołał Drinian.

Łucja, wiedząc, że szczury lądowe – a szczególnie kobiety – nie ułatwiają pracy załodze, chciała być po-

słuszna, choć nie było to łatwe. „Wędrowiec do Świtu"
tak groźnie przechylił się na sterburtę, że pokład przypominał teraz stromy dach kamienicy. Trzymając się
balustrady, wgramoliła się na szczyt do miejsca, gdzie
opierała się drabina, przepuściła dwóch marynarzy
wspinających się w górę i zaczęła ostrożnie schodzić
na pokład główny. Dobrze, że mocno trzymała się drabiny! Gdy już była na samym dole, na pokład zwaliła
się następna fala i zakryła ją aż do ramion. Łucja już
przedtem była zupełnie mokra od deszczu i bryzgów
fal. Dała susa do kabiny rufowej, wskoczyła do środka
i zatrzasnęła za sobą drzwi. Nareszcie nie musiała patrzeć, jak okręt w straszliwym pędzie wali się w ciemność, choć nadal słyszała złowieszczą symfonię łosko-
tów, trzasków, ryków, świstów i wycia, które tu, we
wnętrzu, brzmiały jeszcze bardziej przerażająco.

I tak było i nazajutrz, i jeszcze przez następne dni,
aż w końcu już nikt nie mógł sobie przypomnieć, jak
było dawniej. Przez cały czas przy rumplu stało trzech
ludzi, choć przecież i oni nie byli w stanie utrzymać
właściwego kursu. I nie było nigdy odpoczynku dla
reszty załogi, i nic nie można było ugotować ani wysuszyć. Jeden marynarz wypadł za burtę i zginął. Wydawało się, że już nigdy nie zobaczą słońca.

Kiedy już to wszystko minęło, Eustachy poczynił
następujące zapisy w swoim dzienniku:

*3 września. Pierwszy dzień od wieków, w którym jestem
w stanie pisać. Huragan pędził nas przez trzynaście dni
i nocy. Wiem to dobrze, bo prowadziłem dokładną rachubę*

czasu, choć inni twierdzą, że było tylko dwanaście dni. Bardzo to przyjemne — odbywać niebezpieczną podróż z ludźmi, którzy nie potrafią nawet liczyć! Upiorny czas, fale miotały nami w górę i w dół godzina po godzinie. Przemoczony do suchej nitki. Nawet nie próbowano podać nam właściwego posiłku. Nie warto wspominać, że na pokładzie nie ma radia, a nawet choćby rakiety, tak że nie ma żadnej szansy wysłania sygnałów o pomoc. Wszystko to potwierdza tylko

to, co już powiedziałem: trzeba być wariatem, aby wyruszyć w morze w takiej spróchniałej balii. Byłoby to fatalne nawet wtedy, gdyby się miało do czynienia z przyzwoitymi ludźmi, a nie ze zwariowanymi maniakami jak ci tutaj.

Kaspian i Edmund są wobec mnie wprost brutalni. Tej nocy, kiedy straciliśmy maszt (został tylko obłamany kawałek), zmusili mnie, bym wyszedł na pokład i pracował z innymi jak niewolnik, chociaż czułem się naprawdę niedobrze. Oczywiście Łucja musiała wtrącić swoje trzy grosze, mówiąc, że Ryczypisk bardzo chce wyjść na pokład z innymi, ale jest za mały. Dziwię się jej: jak można nie zauważyć, że to zwierzątko robi wszystko na pokaz! Nawet w jej wieku trzeba mieć tę odrobinę rozsądku. Dzisiaj ta przeklęta łajba nareszcie przestała się miotać i wyjrzało słońce. Wszyscy się głowią nad tym, co robić dalej. Mamy dosyć jedzenia, choć większość to straszne paskudztwo. (Wszystkie kury zostały zmiecione do morza, a nawet gdyby ich nie zmyło, podczas sztormu nie chciałyby składać jajek.) Prawdziwy kłopot to brak wody. Dwie beczki musiały zostać przedziurawione i są puste (jeszcze jeden przykład narnijskiej sprawności). Przy obciętych racjach (ćwierć kwarty dziennie dla każdego) wystarczy na dwanaście dni. (Jest wciąż mnóstwo rumu i wina, ale nawet oni zdają sobie sprawę, że trunki tylko wzmagają pragnienie.)

Gdyby to było możliwe, najrozsądniej byłoby zawrócić na zachód ku Samotnym Wyspom. Płyniemy już jednak osiemnaście dni, przy czym większość podróży odbyliśmy w szaleńczym tempie, gnani szkwałem. Gdybyśmy nawet złapali wiatr wschodni, powrót zająłby nam o wiele więcej dni. A na razie nie ma mowy o wschodnim wietrze – w ogóle nie ma wiatru. Jeśli chodzi o wiosłowanie, to według Kaspiana trwałoby to jeszcze dłużej i nikt by tego nie wytrzymał, dostając ćwierć kwarty wody dziennie. Jestem całkowicie pewien, że się myli. Próbowałem mu wyjaśnić, że obfite pocenie się naprawdę ochładza temperaturę ciała, tak że ludzie potrzebują mniej wody, gdy intensywnie pracują. Udawał, że w ogóle to do niego nie dociera, co jest jego zwykłą reakcją, kiedy nie wie, co odpowiedzieć. Wszyscy pozostali głosowali za płynięciem naprzód w nadziei znalezienia lądu. Uważałem za swój obowiązek zwrócenie im uwagi na fakt, że przecież nie wiemy, czy jest jakikolwiek ląd przed nami, oraz próbowałem im ukazać niebezpieczeństwo kryjące się w pobożnych życzeniach. Zamiast zastanowić się nad jakimś lepszym planem, mieli czelność zapytać mnie, co wobec tego proponuję. Musiałem im spokojnie i chłodno wyjaśnić, że zostałem porwany i rzucony w tę idiotyczną wyprawę bez mojej zgody. To naprawdę nie mój interes, by ich wyciągać z tarapatów, w które sami wpadli.

4 września. Wciąż cisza. Bardzo małe racje na obiad; ja dostałem mniej niż inni. Kaspian jest bardzo sprytny przy nakładaniu porcji i myśli, że tego nie widzę! Łucja z jakiegoś powodu próbowała stanąć po mojej stronie, oferując mi część swojej porcji, ale ten wścibski pedant, Edmund, nie pozwolił jej na to. Wściekle gorąco. Przez cały wieczór jestem okropnie spragniony.

5 września. Wciąż cisza i bardzo gorąco. Od samego rana czuję się połamany i jestem pewien, że mam gorączkę. Oczywiście zabrakło im tej odrobiny rozsądku, by zabrać termometr.

6 września. Straszny dzień. Obudziłem się w nocy, wiedząc, że mam gorączkę i muszę się napić wody. Każdy doktor powiedziałby to samo. Bóg jeden wie, że jestem ostatnią osobą, która by próbowała uzyskać jakieś niesprawiedliwe przywileje, ale nigdy nawet mi się nie śniło, że te dzienne racje wody mogą być stosowane wobec człowieka chorego. Zresztą

obudziłbym innych, żeby mi dali trochę wody, gdybym nie uważał, że budzenie ich jest czynem egoistycznym. Wstałem więc, wziąłem kubek i wyszedłem na palcach z tej Czarnej Dziury, w której śpimy, uważając, by nie potrącić Kaspiana i Edmunda, bo źle sypiają od czasu, gdy się zaczęły te upały i brak wody. Zawsze staram się zwracać uwagę na innych, niezależnie od tego, czy są dla mnie mili, czy nie. Dostałem się do tego wielkiego pokoju, jeżeli to można nazwać pokojem, gdzie są ławki dla wioślarzy i wszystkie zapasy. Ta rzecz z wodą jest na samym końcu. Zanim jednak zdołałem nabrać wody, złapał mnie – któż by inny, jak nie ten mały szpicel Ryczyp. Próbowałem mu wyjaśnić, że idę na pokład, by zaczerpnąć świeżego powietrza (w końcu nie musi go obchodzić, że chcę się napić wody), ale on zapytał mnie, po co wobec tego trzymam w ręku kubek. Narobił takiego hałasu, że obudził cały statek. Potraktowali mnie skandalicznie. Zapytałem (jak by to zrobił każdy na moim miejscu), dlaczego Ryczypisk kręci się koło beczki z wodą w samym środku nocy. Odpowiedział, że jest za mały, aby zrobić coś pożytecznego na pokładzie, trzyma więc straż przy wodzie i w ten sposób jeden marynarz więcej może spać. No i tu okazała się raz jeszcze ta ich zgniła niesprawiedliwość: wszyscy uwierzyli jemu. Moglibyście znieść coś takiego?

Musiałem przeprosić, bo ten mały, niebezpieczny zwierzak zagroził mi mieczem. I wtedy Kaspian ukazał swoje prawdziwe oblicze brutalnego tyrana. Wygłosił mowę, którą wszyscy słyszeli, że w przyszłości każdy, kto zostanie schwytany na „kradzieży" wody, „otrzyma dwa tuziny". Nie wiedziałem, co to znaczy, dopóki mi Edmund nie wyjaśnił. To pochodzi z tego rodzaju książek, które czytają te dzieciaki Pevensie.

Po tej tchórzliwej groźbie Kaspian zmienił styl i zaczął być bardzo protekcjonalny. Powiedział, że bardzo mnie żałuje i że każdy czuje się tak źle jak ja, ale wszyscy musimy dać z siebie wszystko itd., itd. Odrażający, zadzierający nosa kołtun. Przez cały dzień nie wychodziłem z łóżka.

7 września. Pojawił się lekki wiatr, ale wciąż z zachodu. Zrobiliśmy parę mil na wschód pod kawałkiem żagla umocowanego na czymś, co Drinian nazywa „improwizowanym masztem" – to znaczy na bukszprycie ustawionym pionowo i przywiązanym (marynarze mówią „przycumowanym") do tego kawałka drewna, który został z prawdziwego masztu. Wciąż strasznie chce mi się pić.

8 września. Wciąż żeglujemy na wschód. Siedzę w koi przez cały dzień i nie widuję nikogo prócz Łucji, dopóki tych dwóch maniaków nie przyjdzie spać. Łucja daje mi trochę wody ze swojej racji. Mówi, że dziewczynki nie potrzebują tyle pić, co chłopcy. Często przedtem też tak myślałem, ale ten fakt powinien być powszechniej znany na morzu.

9 września. Ziemia na horyzoncie! Jakaś bardzo wysoka góra, daleko od nas, w kierunku południowo-wschodnim.

10 września. Góra jest coraz większa i wyraźniejsza, ale wciąż jeszcze daleko. Pierwsze mewy od nie wiem już jakiego czasu.

11 września. Złowiliśmy parę ryb i zjedliśmy je na obiad. Rzuciliśmy kotwicę około 7 wieczorem w zatoce owej górzystej

wyspy, mając pod sobą 3 sążnie wody. Ten idiota Kaspian nie pozwolił nam zejść na ląd, ponieważ robiło się już ciemno, a on obawiał się tubylców i dzikich zwierząt. Wieczorem jedna racja wody więcej.

To, co czekało ich na wyspie, miało dotyczyć Eustachego bardziej niż kogokolwiek innego, ale nie mogę dłużej korzystać z jego własnego opisu, ponieważ po 11 września zapomniał całkowicie o prowadzeniu dziennika.

Kiedy nastał ranek, z ciężkim, szarym niebem, ale bardzo gorący, poszukiwacze przygód stwierdzili, że znajdują się w otoczonej urwiskami i skałami zatoce przypominającej norweski fiord. Przed nimi, w głębi zatoki, było nieco płaskiego lądu porośniętego gęsto drzewami podobnymi do cedrów. Wypływał stamtąd wartki potok. Za drzewami teren podnosił się aż do poszczerbionej grani. Poza nią czerniły się pasma gór, których szczyty ginęły w ciężkich, matowych chmurach. Bliżej skaliste urwiska po obu stronach zatoki poprzecinane były tu i ówdzie białymi pręgami, które musiały być wodospadami, choć z tej odległości nie widzieli ruchu wody ani nie słyszeli jej szumu. W ogóle cała ta okolica była niezwykle cicha, a gładka jak lustro woda w zatoce odbijała każdy szczegół stromych, skalistych brzegów. Scena byłaby piękna na obrazie, ale w rzeczywistości sprawiała raczej przygnębiające wrażenie. Nie był to kraj, który zdawał się mile witać przybyszów.

Wszyscy pasażerowie i cała załoga „Wędrowca do Świtu" przeprawili się na brzeg w dwu kursach szalu-

py. Każdy napił się do woli i z rozkoszą obmył w rzeczce, a potem zjedli coś i odpoczywali, aż w końcu Kaspian posłał z powrotem czterech ludzi, aby pilnowali
okrętu, i zaczął się pracowity dzień. A wiele było do
zrobienia. Musieli przewieźć na ląd beczki, naprawić
te, które przeciekały, i napełnić wszystkie wodą, ściąć
jakieś wysokie drzewo – sosnę, jeśli tylko rosły tu sosny
– i zrobić nowy maszt, naprawić żagle, zorganizować
polowanie na jakąkolwiek zwierzynę żyjącą na wyspie,
uprać i połatać ubrania oraz wyreperować mnóstwo
mniejszych uszkodzeń na pokładzie. Bo też „Wędrowiec do Świtu" – a widać to było teraz wyraźnie – nie
przypominał już tego wspaniałego okrętu, jaki opuścił Narrowhaven. Wyglądał jak okaleczony, spłowiały
wrak. Nie lepiej też przedstawiała się jego załoga i dowódcy: wychudli, bladzi, z oczami zaczerwienionymi
z braku snu, odziani w łachmany.

Eustachy leżał pod drzewem i kiedy słyszał, jak mówiono, co trzeba zrobić, coraz bardziej tracił humor.
Czy nie mają w ogóle zamiaru wypoczywać? Zanosiło
się na to, że ich pierwszy dzień na tak bardzo wytęsk-
nionym lądzie będzie dniem ciężkiej pracy, jak wszystkie dni na morzu. Zastanawiał się nad tym przez chwilę i wspaniały pomysł wpadł mu do głowy. Nikt się
nim nie interesował – wszyscy rozprawiali namiętnie
o okręcie, jakby nagle polubili tę wstrętną krypę. Dla-
czegóż by nie miał po prostu wymknąć się z tego gro-
na nieprzyjemnych fanatyków? Mógłby sobie zrobić
spacer po wyspie, znaleźć jakieś chłodne, przewiewne
miejsce w górach, wyspać się porządnie i dołączyć do

reszty dopiero pod koniec całodziennej roboty. Czuł, że coś takiego na pewno dobrze mu zrobi. Musi tylko uważać, by nie stracić z oczu zatoki i okrętu, tak aby móc w każdej chwili wrócić. Nie miał wielkiej ochoty zostać sam na tej wyspie.

Natychmiast zabrał się do wcielania swego planu w życie. Podniósł się i spokojnym krokiem odszedł między drzewa, starając się iść wolno, niby bez wyraźnego celu, i sprawiać wrażenie kogoś, kto ma po prostu ochotę rozprostować nogi. Zaskoczyło go, że tak szybko przestał słyszeć odgłosy rozmowy i że las był tak cichy, ciepły i ciemnozielony. Wkrótce doszedł do wniosku, że może już przyspieszyć i obrać bardziej określony kierunek marszu.

Po kilku minutach wyszedł na skraj lasu. Teren wznosił się coraz bardziej. Zbocze porastała wysoka trawa, sucha i śliska. Eustachy posuwał się jednak wciąż naprzód, sapiąc z wysiłku i raz po raz ocierając pot z czoła. Teraz okazało się – choć wcale się tego nie spodziewał – że jego nowe życie, rozpoczęte po drugiej stronie ramy starego obrazu, już go nieco zmieniło: dawny Eustachy – Eustachy Harolda i Alberty – przerwałby tę wspinaczkę po dziesięciu minutach.

Powoli, z kilkoma odpoczynkami po drodze, dotarł do szczytu. Myślał, że zobaczy stąd całą wyspę, ale chmury obniżyły się i na spotkanie biegło mu skłębione morze mgły. Usiadł i spojrzał za siebie. Był teraz tak wysoko, że zatoka wydawała się bardzo mała, a za nią widać było milę otwartego morza. A potem z gór napłynęła gęsta, ciepła mgła i wszystko zakryła. Eustachy położył się w trawie, kręcąc się i wiercąc, by znaleźć najwygodniejszą pozycję i cieszyć się miłą bezczynnością.

A jednak nie cieszył się, a w każdym razie nie trwało to długo. Chyba po raz pierwszy w życiu poczuł się samotny. Z początku to uczucie rosło bardzo powoli. Potem ogarnął go niepokój. Było cicho, nie słyszał najlżejszego szmeru. Przyszło mu do głowy, że może leży tu już kilka godzin. A może oni już poszli? Może pozwolili mu odejść specjalnie, po prostu po to, by go tu zostawić? Zerwał się w panice i zaczął schodzić w dół.

Najpierw chciał zrobić to zbyt szybko: poślizgnął się na mokrej trawie i osunął kilka metrów. Potem wydało mu się, że przez ten upadek zboczył w lewo, a podczas wspinaczki widział z tamtej strony przepaść. Znowu wdrapał się na szczyt, starając się znaleźć miejsce swego odpoczynku, i znowu zaczął schodzić, ale tym razem kierując się bardziej w prawo. Teraz poszło mu lepiej. Posuwał się w dół bardzo ostrożnie, prawie nic przed sobą nie widząc, otoczony gęstą mgłą i przejmującą ciszą. Nie jest wcale przyjemnie, gdy musi się iść ostrożnie, a jednocześnie słyszy się w sobie głos po-

wtarzający bezustannie: „Szybciej, szybciej, szybciej!"
Bo teraz owa straszna myśl, że zostawiono go umyśl-
nie, stawała się z każdą chwilą coraz bardziej i bardziej
natarczywa. Gdyby choć trochę znał Kaspiana i rodzeństwo Pevensie, wiedziałby, rzecz jasna, że nigdy
by czegoś takiego nie zrobili. Niestety, Eustachy zbyt
długo wmawiał w siebie, że wszyscy oni są opętanymi
przez diabła maniakami.

– Nareszcie! – powiedział do siebie, kiedy zsunął się po stromym usypisku luźno leżących kamie-
ni (nazywają to PIARGAMI) i znalazł się na równym
gruncie. – Dobra, a teraz, gdzie są te drzewa? Tam coś
przede mną czernieje. Zdaje się, że mgła ustępuje.

Tak rzeczywiście było. Robiło się coraz jaśniej, aż
wreszcie mgła znikła zupełnie. Eustachy stał, mrużąc
oczy i rozglądając się dookoła. Znajdował się w zupełnie
nieznanej mu dolinie i nigdzie nie było widać morza.

ROZDZIAŁ 6

Przygody Eustachego

DOKŁADNIE W TEJ SAMEJ CHWILI reszta poszukiwaczy przygód myła się w rzeczce, przygotowując się do obiadu i wypoczynku. Trzej najlepsi łucznicy poszli na wzgórza po północnej stronie zatoki, a kiedy wrócili, nieśli dwie dzikie kozy, które teraz piekły się nad ogniskiem. Kaspian kazał znieść na ląd beczułkę mocnego wina z Archenlandii, które przed wypiciem należało zmieszać z wodą, tak że było go dosyć dla wszystkich. Pracowali ciężko i owocnie, więc przy posiłku byli w wesołym nastroju. Dopiero po drugiej porcji koziego mięsa Edmund zapytał:

— A gdzie jest ten nudziarz Eustachy?

W tym czasie Eustachy gapił się na nieznaną dolinę. Była tak wąska i głęboka, a jej zbocza tak strome, że przypominała wielką dziurę albo wykop. Dno porośnięte było trawą, z której wystawały skały, a tu i ówdzie Eustachy zauważył czarne, wypalone plamy, podobne do tych, jakie się widzi w suche lato na zboczach nasypów kolejowych. Kilkanaście metrów przed nim widniała niewielka sadzawka z czystą, gładką wodą. Na pierwszy rzut oka nie było tu nic więcej: ani zwierzęcia, ani ptaka, ani nawet owada. Słońce prażyło mocno, a szczyt i górskie granie jeżyły się groźnie nad skalistymi zboczami otaczającymi dolinę.

Oczywiście Eustachy zrozumiał, że we mgle zboczył z drogi i zszedł po złej stronie wzgórza, więc od razu odwrócił się, aby zobaczyć, jak wrócić do miejsca, z którego wyruszył. Ale gdy tylko spojrzał, zadrżał. Było teraz oczywiste, że miał przedtem zdumiewające szczęście: przypadkiem znalazł we mgle jedyną drogę prowadzącą na dno kotliny – długi, zielony garb, straszliwie wąski i stromy, z przepaściami po obu stronach. Nie było żadnej innej drogi z powrotem. Ale czy zdołałby wspiąć się tą drogą teraz, kiedy już wiedział, jak ona wygląda? Na samą myśl o tym zakręciło mu się w głowie.

Odwrócił się w stronę doliny, bo pomyślał, że w każdym razie dobrze byłoby napić się przedtem wody z sadzawki. Zanim jednak zrobił krok w jej kierunku, usłyszał za sobą jakiś odgłos. Nie był to wcale wielki hałas, ale i tak rozległ się donośnie w przejmującej ci-

szy. Eustachy znieruchomiał. Potem powoli odwrócił głowę i spojrzał.

U podnóża skalnego urwiska widać było niską, ciemną dziurę – prawdopodobnie wejście do jaskini. A leżące tuż przed dziurą kamienie poruszały się (i to był właśnie ów dziwny hałas), jakby coś miało za chwilę wypełznąć z ciemności poza nimi.

I rzeczywiście coś pełzło. Gorzej, coś wyłaziło. Edmund i Łucja czy wy sami rozpoznalibyście to coś od razu, ale Eustachy nie przeczytał nigdy ani jednej książki z tych, które należy przeczytać. To coś, co wylazło z jaskini, było czymś, czego nigdy nawet sobie nie wyobrażał: długi pysk koloru ołowiu, zmatowiałe, czerwone ślepia, naga skóra nie pokryta piórami czy futrem, długie, gibkie cielsko wlokące się po ziemi, łapy, których stawy łokciowe sterczały ponad grzbiet jak u pająka, straszliwe szpony, zgrzytające po kamieniach skrzydła nietoperza, całe metry ogona i dwie strużki dymu wydobywające się z nozdrzy. Eustachy nawet w myślach nie wypowiedział nigdy słowa „smok", ale gdyby je nawet znał, niewiele by mu to teraz pomogło.

Gdyby jednak wiedział coś o smokach, byłby nieco zdziwiony jego zachowaniem. Ten smok nie podnosił się na ogonie i nie machał skrzydłami, nie zionął też z pyska fontanną ognia. Dym wydobywający się z jego nozdrzy wyglądał jak dym z ogniska, które ma za chwilę zgasnąć. Nic nie wskazywało, by w ogóle zauważył Eustachego. Pełzł powoli w kierunku sadzawki – powoli i często przystając. Pomimo strachu Eustachy poczuł, że ma przed sobą stare, osłabłe stworzenie. Zaczął się zastanawiać, czy mógłby zaryzykować szybki skok ku zielonemu garbowi, aby się ratować wspinaczką. Ale to stworzenie mogłoby odwrócić łeb, słysząc jakiś szmer. Mogłoby się nieco ożywić. A może ono tylko udaje? A zresztą, czy jest sens wspinać się na strome zbocze w ucieczce przed czymś, co ma skrzydła?

Smok dowlókł się do sadzawki i zsunął po żwirze do wody swój straszny, pokryty łuską pysk. Zanim jednak zaczął pić, wydał z siebie donośny, kraczący rechot i po kilku straszliwych drgawkach przewalił się na bok i leżał bez ruchu, z jednym szponem sterczącym niezgrabnie do góry. Z szeroko otwartego pyska wysączyło się trochę ciemnej krwi. Dym z nozdrzy poczerniał, a potem nagle zniknął.

Przez długi czas Eustachy bał się poruszyć. A może to tylko podstęp dzikiej bestii, by porywać wędrowców i wciągać ich do swojej nory? Ale nie można przecież czekać w nieskończoność. Zrobił jeden krok, potem dwa – i znowu się zatrzymał. Smok nadal leżał bez ruchu; jego ślepia straciły też swój dawny czerwony blask. Wreszcie chłopiec zbliżył się do leżącego nad wodą cielska. Teraz był już pewien, że jest martwe. Pokonując strach i obrzydzenie, dotknął go – i nic się nie stało.

Eustachy poczuł taką ulgę, że wybuchnął głośnym śmiechem. Czuł się tak, jakby sam zabił smoka w walce, a nie zaledwie był świadkiem jego śmierci. Śmiało przekroczył martwe cielsko i podszedł do sadzawki, by się napić, ponieważ upał był już teraz prawie nie do zniesienia. Nie zdziwił się, gdy usłyszał daleki łoskot grzmotu. Prawie natychmiast potem słońce znikło, a zanim skończył pić, spadły pierwsze krople deszczu.

Klimat wyspy nie należał do najprzyjemniejszych. Nie minęła minuta, gdy Eustachy był całkowicie przemoczony i na pół oślepiony taką ulewą, jakiej się nigdy w Europie nie spotyka. Nie było mowy o próbie wydostania się z dolinki, dopóki padało. Czmychnął szybko do jedynego schronienia, jakie było w pobliżu – do jaskini smoka. Tam położył się, próbując złapać oddech.

Większość z nas wie dobrze, co można znaleźć w legowisku smoka, ale – jak już mówiłem – Eustachy czytał nie te książki, które trzeba. Te, które czytał, zawierały mnóstwo informacji o eksporcie i imporcie, o rodzajach rządów i o wodociągach, natomiast nic nie mówiły o smokach. Dlatego też był tak zaskoczony tym, na czym leżał. Były to jakieś dziwne przedmio-

ty: niektóre zbyt ostre i kanciaste jak na zwykłe kamienie i zbyt twarde jak na kolce, inne były okrągłe
i płaskie, a wszystkie podzwaniały cicho przy każdym
jego ruchu. Na progu jaskini było wystarczająco jasno,
aby mógł sobie te rzeczy dobrze obejrzeć. I oczywiście
stwierdził, że leżał na czymś, co każdy z nas mógł przewidzieć już dawno – na skarbach. Były tam korony
(to właśnie tak kłuło), monety, pierścienie, bransolety,
sztabki złota, puchary, talerze i klejnoty.

Eustachy (w przeciwieństwie do większości chłop-
ców) nigdy nie myślał wiele o skarbach, ale kiedy jeden z nich zobaczył, od razu zdał sobie sprawę z pożytku, jaki można z niego mieć w tym nowym świecie,
do którego tak głupio wpadł przez ramę obrazu w sypialni Łucji w swym własnym domu. „Nie mają tu
żadnych podatków od wzbogacenia – pomyślał. – Nie
trzeba też oddawać znalezionego skarbu rządowi. Wystarczy tylko część tego, co tu jest, aby się nieźle urzą-
dzić. Może w Kalormenie... ta nazwa brzmi najmniej
dziwacznie. Ile by tego można wziąć? O, ta bransolet-
ka... te rzeczy w niej wyglądają na diamenty... mogę
ją wsunąć na rękę. Trochę za duża, ale mogę ją wsunąć
za łokieć. Trzeba też napełnić kieszenie brylantami...
są chyba lżejsze niż złoto. Ciekaw jestem, kiedy ten
piekielny deszcz się skończy". Wybrał najwygodniejszą część skarbca, gdzie złożone były głównie monety,
i usiadł, aby przeczekać ulewę. Ale kiedy już mija głębokie przerażenie, a zwłaszcza przerażenie po górskiej
wspinaczce, odczuwa się zwykle duże zmęczenie. I Eustachy zasnął.

W tym samym czasie, kiedy już zdrowo chrapał, reszta skończyła obiad i zaczęła się o niego poważnie niepokoić. Nawoływali: „Eustachy! Eustachy! Hop-hop!", aż zupełnie zachrypli i Kaspian zadął w swój róg.

— Gdyby był gdzieś blisko, musiałby nas usłyszeć — powiedziała Łucja z twarzą białą jak papier.

— Niech diabli porwą tego gagatka! — zawołał Edmund. — Po jakie licho gdzieś polazł, nie mówiąc nic nikomu?

— Trzeba coś zrobić — powiedziała Łucja. — Musiał zabłądzić albo wpaść w jakąś dziurę, albo schwytali go dzicy.

— Albo pożarły go dzikie zwierzęta — dodał Drinian.

— I wcale nie będę płakał, jeśli się to okaże prawdą — mruknął Rins.

— Panie Rinsie — rzekł Ryczypisk — nigdy jeszcze nie słyszałem z ust waszmości słów, które waszmość poniżają. Nie łączy mnie z tym stworzeniem przyjaźń, ale jest krewniakiem królowej i skoro jest członkiem naszej wyprawy, pozostaje sprawą naszego honoru odnalezienie go i pomszczenie, jeśli będzie martwy.

— To jasne, że musimy go znaleźć, jeśli to tylko MOŻLIWE — powiedział Kaspian zmęczonym głosem — choć nie jest to przyjemne i będziemy mieć sporo kłopotów. Trzeba zorganizować grupę poszukiwawczą. Przeklęty Eustachy!

Tymczasem Eustachy spał, i spał, i spał. Obudził go dopiero ból w ręku. Światło księżyca wlewało się do środka przez otwór jaskini, a posłanie ze skarbów wydawało się teraz o wiele bardziej wygodne: prawie go nie czuł. Z początku zdziwił go ból w ręku, ale szybko doszedł do wniosku, że to bransoleta, którą wsunął powyżej łokcia i która teraz zrobiła się dziwnie ciasna. Kiedy spał, ramię musiało spuchnąć (była to lewa ręka).

Poruszył prawą ręką, aby dotknąć lewej, lecz natychmiast zamarł z przerażenia. Bo oto tuż przed nim, troszeczkę na prawo, gdzie światło księżyca padało na wysłane skarbami dno pieczary, zobaczył poruszający się straszny kształt. W jasnym świetle od razu rozpoznał zakończoną szponami łapę smoka. Poruszyła się, gdy on zrobił ruch ręką, i znieruchomiała, gdy on zamarł w przerażeniu.

„Och, cóż za głupiec ze mnie – pomyślał Eustachy. – Przecież to jasne, że ta bestia miała towarzyszkę, która teraz leży sobie obok mnie!"

Przez kilka minut nie ośmielił się zrobić najmniejszego ruchu. Zobaczył przed sobą dwie strużki dymu, czarne na tle księżycowej poświaty, takie same, jak dym wydobywający się z nozdrzy pierwszego smoka przed jego śmiercią. Ogarnęło go takie przerażenie, że wstrzymał oddech. Dwie strużki dymu znikły. Kiedy już nie mógł dłużej wytrzymać, wypuścił powoli powietrze z płuc, starając się robić to jak najciszej. Dwa pióropusze dymu znowu się przed nim pojawiły. Ale nawet wtedy Eustachy nie miał jeszcze pojęcia, co się naprawdę stało.

W końcu zdecydował, że musi się przesunąć bardzo ostrożnie w lewo i spróbować wyczołgać z jaskini. Liczył na to, że smok śpi, zresztą była to jedyna szansa ratunku. Zanim jednak przesunął się w lewo, musiał tam, oczywiście, spojrzeć. Ku swemu przerażeniu i tam zobaczył ohydne szpony smoka.

Nikt nie ma prawa kpić sobie z Eustachego, że w tym momencie się rozpłakał. Zdziwiły go rozmiary jego własnych łez, kapiących z lekkim pluskiem na leżące przed nim skarby. I były dziwnie gorące: parowały w półmroku.

Płacz nie miał jednak żadnego sensu. Musi wypełznąć z jaskini między dwoma śpiącymi smokami. Wyciągnął powoli prawą rękę. Zakończona szponami łapa smoka po prawej stronie uczyniła dokładnie to samo. Wyciągnął lewą rękę. Łapa smoka z lewej strony powtórzyła jego ruch.

Dwa smoki, z jednej i z drugiej strony, przedrzeźniające każdy jego ruch! Nerwy odmówiły mu posłuszeństwa i, nie zastanawiając się już dłużej, po prostu uciekł.

Kiedy wyskoczył z jaskini, rozległo się takie dzwonienie, zgrzytanie i łoskotanie złota, taki chrzęst klejnotów, że był przekonany, iż obie bestie rzuciły się za nim, aby go złapać. Nawet nie spojrzał za siebie. Popędził do sadzawki. Poskręcane cielsko martwego smoka, leżące nieruchomo w świetle księżyca, przeraziłoby każdego, ale Eustachy nawet nie zwrócił na nie uwagi. Myślał tylko o tym, by wskoczyć do wody.

Ale w tej samej chwili, gdy był już na brzegu sadzawki, zdarzyły się dwie rzeczy. Po pierwsze dotarło nagle do niego, że biegnie na czworakach – i dlaczego, do licha, to robi?! A po drugie, kiedy już nachylił się nad wodą, myślał przez chwilę, że jeszcze jeden smok patrzy na niego z głębi sadzawki. I dopiero wtedy zrozumiał, co się stało. Straszliwy pysk smoka w sadzawce był jego własnym odbiciem. Nie mogło być żadnych wątpliwości. Poruszał się, gdy poruszał się Eustachy, otwierał i zamykał paszczę, kiedy Eustachy otwierał i zamykał usta.

Teraz wiedział już wszystko. W jaskini nie było żadnych smoków. Szpony, które widział po swojej lewej i prawej stronie, były jego własnymi szponami. Dwie smugi dymu wydobywały się z jego własnych nozdrzy. Co się tyczy bólu w lewej ręce (albo w tym, co było kiedyś jego lewą ręką), to mógł teraz dostrzec jego przyczynę, zezując lewym okiem. Bransoleta, która pasowała zupełnie dobrze do przedramienia chłopca, była oczywiście za mała na grubą, krępą przednią łapę smoka. Wcisnęła się głęboko w pokryte łuskami cielsko, aż po obu jej stronach wyrosły pulsujące obwarzanki opuchlizny. Sięgnął do niej swymi smoczymi zębami, ale nie dała się zdjąć.

Pomimo bólu pierwszą reakcją Eustachego na to wszystko było uczucie ulgi. Nie musiał się już niczego bać. On sam budził teraz przerażenie. Nikt na świecie (może prócz jakiegoś wyjątkowo odważnego rycerza) nie ośmieliłby się go zaatakować. Teraz mógłby sobie poradzić nawet z Kaspianem i Edmundem jednocześnie.

Ale kiedy o tym pomyślał, zdał sobie natychmiast sprawę, że wcale tego nie chce. Chce być ich przyjacielem. Chce wrócić do ludzi, rozmawiać, śmiać się, dzielić swoimi myślami. Nagle pojął, że jest potworem odciętym od całej ludzkiej rasy. Przeniknęło go dojmujące poczucie samotności. Teraz widział jasno, że inni wcale nie byli takimi złośliwymi maniakami. Zaczął się nawet zastanawiać, czy on sam był rzeczywiście tak miłą osobą, za jaką się zawsze uważał. Tęsknił za ich głosami. Byłby teraz wdzięczny za jedno miłe słówko – choćby i od Ryczypiska.

I kiedy ten biedny smok, który był Eustachym, pomyślał o tym wszystkim, gorzko zaszlochał. Straszliwy smok wypłakujący sobie oczy w bezludnej dolinie zalanej światłem księżyca – to widok, który trudno sobie w ogóle wyobrazić.

W końcu doszedł do wniosku, że musi znaleźć drogę na wybrzeże. Teraz już zrozumiał, że Kaspian nigdy by bez niego nie odpłynął. Był pewien, że w taki czy inny sposób będzie umiał porozumieć się z ludźmi i powiedzieć im, kim naprawdę jest.

Wypił dużo wody, a potem (wiem, że brzmi to strasznie, ale jak się to przemyśli, wcale takie nie jest) zjadł prawie całego zdechłego smoka. Dopiero gdy był w połowie, zdał sobie sprawę z tego, co robi, bo chociaż jego umysł pozostał umysłem Eustachego, apetyt i upodobania smakowe miał już smocze. A nie ma rzeczy dla smoka smaczniejszej niż drugi smok. Właśnie dlatego trudno spotkać więcej niż jednego smoka w tym samym kraju.

Po jedzeniu podjął próbę opuszczenia dolinki. Zaczął wspinaczkę od potężnego skoku, ale gdy tylko podskoczył, stwierdził, że fruwa. Prawie zapomniał o swoich skrzydłach i była to wielka niespodzianka – pierwsza miła niespodzianka od dłuższego czasu. Wzbił się wysoko i zobaczył niezliczone szczyty gór jeżące się pod nim w świetle księżyca. Zobaczył zatokę, lśniącą jak srebrna taca, i „Wędrowca do Świtu" stojącego na kotwicy, i ogniska obozowe migoczące między drzewami. I z tej zawrotnej wysokości rzucił się ku nim w dół jednym potężnym ślizgiem.

Łucja pogrążona była w głębokim śnie, bo przedtem długo w nocy oczekiwała powrotu grupy poszukiwawczej, by się czegoś dowiedzieć o Eustachym.

Grupę poprowadził Kaspian. Wrócili późno, zmęczeni i zniechęceni, a wieści, jakie przynieśli, nie były wesołe. Nie znaleźli nawet śladów Eustachego, za to widzieli martwego smoka w jednej z dolin. Pocieszali się nawzajem, że zwykle smoki żyją samotnie, a ten, którego cielsko widzieli o trzeciej po południu, nie wyglądał na takiego, co pożarł człowieka kilka godzin wcześniej.

— Chyba że połknął tego małego nicponia i zdechł od tego, co nie byłoby w końcu niespodzianką – zauważył Rins. Ale zamruczał tak cicho, że nikt go nie usłyszał.

Późno w nocy Łucja obudziła się i zobaczyła, że wszyscy zebrali się w jednym miejscu i szepczą coś między sobą.

— Co się stało? – zapytała.

— Musimy trzymać się razem i uzbroić w wielką odwagę – odpowiedział szeptem Kaspian. – Dopiero co nad drzewami przeleciał smok i jest prawie pewne, że wylądował na plaży. Tak, obawiam się, że jest między nami a okrętem. Strzały są zupełnie bezużyteczne wobec smoków. Te gady nie boją się też ognia.

— Jeśli wasza królewska mość pozwoli... – zaczął Ryczypisk.

— Nie, Ryczypisku – powiedział król stanowczo – ty nie będziesz próbował walczyć ze smokiem. I jeżeli nie przyrzekniesz mi posłuszeństwa, będę cię musiał związać. Musimy teraz wszyscy bacznie czuwać, a jak tylko zrobi się jasno, pójść na plażę i stoczyć z nim bitwę. Ja poprowadzę. Król Edmund będzie po mojej prawej ręce, lord Drinian po lewej. To wszystko, co można zaplanować. Świt będzie za parę godzin. Za godzinę zjemy coś i wypijemy resztę wina. I niech wszystko odbywa się w największej ciszy.

– Może sobie pójdzie – powiedziała Łucja.

– To by było jeszcze gorsze – odrzekł Edmund – bo wówczas nie wiedzielibyśmy, gdzie się znajduje. Jeżeli w pokoju jest osa, nie lubię tracić jej z oczu.

Pozostała część nocy nie należała do najprzyjemniejszych chwil w ich życiu. Kiedy przygotowano posiłek, wielu stwierdziło, że jakoś nie ma apetytu. Godziny wlokły się jedna za drugą, aż wreszcie zaczęło szarzeć, tu i ówdzie odezwały się ptaki, świat zrobił się jeszcze bardziej zimny i mokry niż w nocy, a Kaspian powiedział:

– Już czas, przyjaciele.

Wszyscy powstali, dobyli mieczy i uformowali się w zwarty szyk, z Łucją pośrodku i Ryczypiskiem na jej ramieniu. Poczuli się nieco raźniej i każdemu wydało się, że lubi drugiego bardziej niż zwykle. Kiedy doszli do brzegu lasu, zrobiło się jaśniej. I oto tam, na piasku, jak wielka jaszczurka lub krokodyl albo jak wąż z nogami, ogromny, straszny i przygarbiony – leżał smok.

Ale kiedy ich zobaczył, nie podniósł się i nie zionął dymem i ogniem. Kiedy ich zobaczył, natychmiast – z brzuchem przy ziemi – uciekł do zatoki.

– Dlaczego on tak kręci łbem? – zapytał Edmund.

– I coś mu leci z oczu – dodał Drinian.

– Och, czy nie widzicie? – zawołała Łucja. – Przecież to łzy. On płacze!

– Nie ufaj temu, pani – rzekł Drinian. – Tak właśnie robią krokodyle, aby wywieść swą ofiarę w pole.

– Pokręcił łbem, kiedy to powiedziałeś – zauważył Edmund. – Tak jakby chciał powiedzieć: „Nie". Spójrzcie, znowu to robi.

– Myślisz, że on rozumie, co mówimy? – zapytała Łucja.

Smok kiwnął gwałtownie łbem. Ryczypisk zsunął się z ramienia Łucji i wystąpił naprzód.

– Smoku – rozległ się jego piskliwy głos – czy rozumiesz naszą mowę?

Smok pokiwał głową.

– Czy potrafisz mówić?

Smok potrząsnął głową.

– A więc byłoby bezużyteczne pytać cię o twoje sprawy. Ale jeśli chcesz się z nami zaprzyjaźnić, podnieś przednią lewą łapę nad głowę!

I smok to zrobił, choć bardzo niezręcznie, bo łapa była obolała i opuchnięta z powodu złotej bransolety.

– Och, popatrzcie – powiedziała Łucja – coś mu się stało w łapę. Biedaczek, na pewno dlatego płakał. Może przyszedł do nas właśnie po to, aby go wyleczyć, tak jak w powieści o Androklesie i lwie.

– Bądź ostrożna, Łusiu – rzekł Kaspian. – To bardzo mądry smok, ale może być kłamcą.

Ale Łucja już biegła do brzegu zatoki, a za nią Ryczypisk, a za nimi oczywiście pobiegli chłopcy i Drinian.

– Pokaż mi swoją biedną łapę – powiedziała Łucja. – Może będę mogła ci pomóc.

Smok-który-był-Eustachym szybko wyciągnął obolałą łapę, pamiętając, jak to cudowny eliksir Łucji wyleczył go z choroby morskiej, kiedy jeszcze nie był smokiem. Ale spotkało go rozczarowanie. Magiczny płyn zmniejszył opuchnięcie i ból, ale nie rozpuścił złota.

Wszyscy tłoczyli się teraz wokół niego, obserwując zabiegi Łucji, gdy nagle Kaspian zawołał:

– Patrzcie!

Jego spojrzenie utkwione było w złotej bransolecie.

ROZDZIAŁ 7

Jak się ta przygoda zakończyła

NA CO MAMY PATRZYĆ? – zapytał Edmund.

– Przyjrzyjcie się temu ornamentowi – powiedział Kaspian.

– Młotek, nad nim diament jak gwiazda – powiedział Drinian. – Ejże, ja już to chyba gdzieś widziałem.

– Gdzieś widziałeś? – powtórzył Kaspian. – Oczywiście, że musiałeś to widzieć. To herb wielkiego narnijskiego rodu. To jest bransoleta barona Oktezjana.

– Nikczemniku! – zawołał Ryczypisk do smoka. – Czy pożarłeś narnijskiego barona? – Ale smok gwałtownie potrząsnął głową.

– A może – odezwała się Łucja – to JEST baron Oktezjan zamieniony w smoka... no wiecie, przez jakieś czary...

– Nie musi to być jedyne wyjaśnienie – powiedział Edmund. – Wiadomo, że wszystkie smoki lubią gromadzić złoto. W każdym razie wydaje się raczej pewne, że Oktezjan zakończył podróż na tej wyspie.

– Czy jesteś baronem Oktezjanem? – zapytała Łucja smoka, a widząc, że ponuro potrząsa głową, dodała: – Czy jesteś kimś zaczarowanym w smoka, to znaczy jakimś człowiekiem?

Na to smok zaczął z werwą kiwać łbem.

I wtedy ktoś zapytał – dyskutowano później, czy to była Łucja, czy Edmund:

– Ale nie jesteś przypadkiem... nie jesteś chyba Eustachym?

I Eustachy pokiwał swoją straszną smoczą głową, machając ogonem zanurzonym w wodzie. Wszyscy odskoczyli (niektórzy marynarze z okrzykami, których tu nie mogę przytoczyć), uciekając przed ogromnymi, gotującymi się łzami, które zaczęły płynąć z jego oczu.

Łucja próbowała go pocieszyć, jak tylko potrafiła, i nawet zebrała całą swą odwagę, by go pocałować w pokryty łuskami pysk, inni zaczęli powtarzać: „A to pech!", wielu zapewniało Eustachego, że nigdy go nie opuszczą oraz że z całą pewnością znajdzie się jakiś sposób, by go odczarować – nim minie dzień, no, może dwa, odkryją to, jak amen w pacierzu. I wszyscy chcieli się dowiedzieć, jak do tego doszło, ale – oczywiście – Eustachy nie mógł im tego opowiedzieć. Wiele razy w ciągu następnych dni próbował im to napisać na piasku, ale nigdy mu się nie udało. Po pierwsze, Eustachy (który nigdy nie przeczytał żadnej z książek, jakie powinien przeczytać) nie miał pojęcia, jak opowiedzieć całą historię w sposób jasny i krótki zarazem. Po drugie, mięśnie i nerwy smoczych szponów nie były w ogóle przystosowane do pisania. W rezultacie nigdy nie mógł dojść do końca przed nadejściem przypływu niszczącego wszystko, co zdążył napisać, nie licząc tego, co już sam przedtem bezwiednie zniszczył ogonem lub łapami. Wszystko, co udało się kiedykolwiek odczytać, wyglądało mniej więcej tak:

OPSEDŁEM SIE PRZESPA... MOS... OMSOK ZNACZY SMONK ZJASKINI ALEBYŁ MARTWY I BARDZO MECZ... BUDZIŁEM SIE I NIEMO... DJACCC Z MOI REKA OH KŁOPOTY...

Wszyscy jednak zauważyli, że Eustachy bardzo się zmienił, odkąd został smokiem. Teraz sam rwał się do pomocy. Fruwał nad całą wyspą i odkrył, że pokryta była górami i że nikt na niej nie mieszkał prócz górskich kozic i dużych stad dzikich świń. Przyniósł do obozu kilkanaście sztuk, aby uzupełnić okrętowe zapasy. Był też bardzo humanitarnym myśliwym, ponieważ powalał zwierzę jednym uderzeniem ogona, tak że nawet nie wiedziało (i prawdopodobnie wciąż nie wie), że zostało zabite. Kilka świń zjadł sam, ale zawsze w samotności, bo teraz, kiedy był smokiem, lubił tylko świeże mięso i nie mógł znieść, by go widziano przy tych – niezbyt estetycznych – posiłkach. A jednego dnia, lecąc powoli i z wysiłkiem, ale i z dumą, przytransportował do obozu wielką, wysmukłą sosnę wydartą z korzeniami w jakiejś odległej dolinie. Był to znakomity materiał na nowy maszt główny. Wieczorami, gdy robiło się chłodno (jak to się czasem zdarzało po ulewnych deszczach), był wygodą dla wszystkich, ponieważ można było sobie usiąść z plecami opartymi o jego gorące boki i znakomicie się ogrzać i wysuszyć. Wystarczył jeden jego oddech, by zapalić najbardziej oporne ognisko. Od czasu do czasu zabierał wybraną grupę osób na powietrzną przejażdżkę na swoim grzbiecie, tak że mogli sobie obejrzeć z góry zielone zbocza, skaliste turnie, strome wąwozy, a daleko, daleko na morzu (patrząc na wschód) nieco ciemniejszą od linii horyzontu plamkę, która mogła być lądem.

Przed krańcową rozpaczą ratowała Eustachego przyjemność (całkiem dla niego nowa), jaką znajdował w tym, że był teraz lubiany, a jeszcze bardziej w tym, że sam polubił innych. W końcu jego przemiana w smoka była bardzo ponurą sprawą. Wzdrygał się ze wstrętem, gdy tylko zobaczył swoje odbicie, przelatując nad jakimś górskim jeziorkiem. Nienawidził swoich skrzydeł nietoperza, nienawidził podobnej do piły płetwy na grzbiecie i groźnych, zakrzywionych szponów. Niemal bał się samego siebie – zwłaszcza kiedy był sam – a jednocześnie wstydził się przebywać z innymi. Wieczorami, jeśli tylko nie służył swoim towarzyszom podróży za termofor, opuszczał obozowisko i leżał, zwinięty w kłębek jak wąż, między lasem a zatoką. Ku swojemu zdumieniu stwierdził, że tym, kto niestrudzenie starał się ulżyć jego doli, okazał się Ryczypisk. Szlachetna mysz wymykała się z kręgu biesiadującej przy ognisku wesołej kompanii i siadała przy głowie smoka, starając się tylko wybrać takie miejsce, by wiatr nie kierował w jej stronę dymiącego oddechu. Siedząc tak, Ryczypisk wyjaśniał drobiazgowo Eustachemu, że to, co się z nim stało, było jedynie uderzającym przykładem obrócenia się Koła Fortuny, oraz że gdyby Eustachy zamieszkał z nim w jego domu w Narnii (w rzeczywistości była to jama, w której nie zmieściłby się nawet łeb smoka, nie mówiąc o reszcie), mógłby mu opowiedzieć o setkach cesarzy, królów, książąt, rycerzy, poetów, kochanków, astronomów i czarodziejów, od których szczęście odwróciło się nagle w najczarniejszych okolicznościach, a z których wielu wydobyło się w końcu z nieszczęścia i żyło potem szczęśliwie. Prawdopodobnie nie było to zbyt pocieszające, ale intencje miał szlachetne i Eustachy nigdy mu tego nie zapomniał.

Ale oczywiście nad wszystkimi wisiał jak ciemna chmura problem, co zrobić ze smokiem, kiedy już będą gotowi do dalszej podróży. Starali się nie mówić o tym

w jego obecności, ale i tak zdarzało się, że wpadały mu do ucha zdania: „A może zmieściłby się jakoś na pokładzie?" – „Musielibyśmy umieścić wszystkie zapasy pod pokładem po przeciwnej stronie, aby zrównoważyć jego ciężar" – albo: „A może dałoby się go holować?" – albo: „Może by nad nami leciał?" – i (najczęściej): „Ale jak go wykarmimy?" I biedny Eustachy zdawał sobie coraz bardziej i bardziej sprawę z tego, że od pierwsze-go dnia pobytu na okręcie był tylko niepoprawnym zawalidrogą, a teraz stał się jeszcze większym ciężarem dla wszystkich. Świadomość tego wżerała się w jego mózg jak owa bransoleta wrośnięta w przednią łapę. Wiedział już, że szarpanie jej wielkimi zębami tylko powiększa ból, ale nie mógł się powstrzymać, by tego raz po raz nie robić, zwłaszcza w gorące noce.

Minęło ponad sześć dni od ich wylądowania na Wy-spie Smoka, kiedy pewnego ranka Edmund obudził się bardzo wcześnie. Dopiero szarzało, tak że widział pnie drzew tylko tam, gdzie jaśniała za nimi zatoka. Usły-szał jakiś szmer między drzewami, jakby się tam coś ruszało, więc podniósł się na łokciu i rozejrzał dookoła. Zobaczył ciemną postać poruszającą się za drzewami od strony morza. Natychmiast zrodziła mu się w gło-wie myśl: „Czy aby naprawdę nie ma na tej wyspie żadnych mieszkańców?" Potem pomyślał, że to Ka-spian − postać była mniej więcej jego wzrostu − ale przypomniał sobie, że Kaspian położył się obok niego. Spojrzał więc w tamtą stronę i stwierdził, że Kaspian nadal śpi. Upewnił się, że ma przy sobie miecz, i wstał, aby zbadać całą sprawę.

Skradając się, zaszedł aż do krawędzi lasu; ciemna postać wciąż tam była. Teraz już widział, że była za mała jak na Kaspiana i za duża jak na Łucję. I wca-le nie uciekała. Edmund dobył miecza i już zamierzał wyzwać obcego przybysza, gdy ten odezwał się słabym głosem:

– Czy to ty, Edmundzie?

– Tak, to ja. Kim jesteś?

– Nie poznajesz mnie? To ja, Eustachy.

– O, holender! – zawołał Edmund. – A więc to ty. Mój kochany, stary...

– Sza! – uciszył go Eustachy i zachwiał się, jakby miał za chwilę upaść.

– Hej! – odezwał się Edmund ściszonym głosem i podtrzymał go. – Co z tobą? Jesteś chory?

Eustachy milczał tak długo, aż Edmund zaczął się niepokoić, że naprawdę coś mu jest, ale w końcu powiedział:

– To było upiorne. Nawet nie wiesz jak... Ale już wszystko w porządku. Czy możemy gdzieś pójść i porozmawiać? Wolałbym jeszcze nie spotykać się z innymi.

– Tak, oczywiście, gdzie tylko chcesz – rzekł Edmund. – Możemy iść tam i usiąść sobie na tych skałach. No więc, naprawdę, cieszę się, że widzę cię... no... wyglądającego jak dawniej. Musiałeś przeżyć prawdziwe piekło.

Podeszli do skał i usiedli, patrząc na zatokę. Niebo stawało się coraz jaśniejsze i jaśniejsze, aż w końcu znikły wszystkie gwiazdy prócz jednej, bardzo jasnej, która wciąż płonęła nisko nad widnokręgiem.

– Nie będę ci teraz opowiadał, jak stałem się... tym... no, smokiem. Chcę to raz opowiedzieć wszystkim i więcej do tego nie wracać – powiedział Eustachy.

– Nawiasem mówiąc, nawet nie wiedziałem, że to był SMOK, dopóki nie usłyszałem, jak używacie tego słowa po moim powrocie do was tamtego ranka. Chcę ci powiedzieć, jak przestałem nim być.

– Wal śmiało! – rzekł Edmund.

– No więc, ostatniej nocy było mi naprawdę gorzej niż kiedykolwiek. I ta piekielna bransoleta męczyła mnie tak strasznie, że...

– Czy już wszystko w porządku?

Eustachy roześmiał się – był to zupełnie inny śmiech niż ten, który Edmund słyszał dotąd z jego ust – i z łatwością zsunął bransoletę z ramienia.

– Oto ona – powiedział. – I każdy, komu się podoba, może ją sobie wziąć. A więc, jak mówię, leżałem i rozmyślałem, co właściwie stało się ze mną, aż nagle... tylko że... no, nie wiem... to wszystko mogło mi się śnić...

– Mów dalej – wtrącił Edmund, siląc się na cierpliwość.

– No więc, w każdym razie spojrzałem i zobaczyłem chyba ostatnią rzecz, jakiej się spodziewałem: zbliżającego się do mnie powoli ogromnego lwa. I dziwna sprawa: tej nocy nie było księżyca, a jednak wokół lwa jaśniała księżycowa poświata. Podchodził coraz bliżej i bliżej. Okropnie się go bałem. Pewnie myślisz, że będąc smokiem, mogłem z łatwością powalić każdego lwa. Ale to nie był ten rodzaj strachu. Nie bałem się tego, że mnie zje, po prostu bałem się JEGO, jeżeli potrafisz zrozumieć, o co mi chodzi. No więc podszedł zupełnie blisko i spojrzał mi prosto w oczy. Zacisnąłem powieki. Ale na nic to się nie zdało, bo powiedział mi, żebym za nim poszedł.

— Chcesz powiedzieć, że lew mówił?

— Nie wiem. Teraz, kiedy o to spytałeś, wydaje mi się, że chyba nie. Ale jednak jakoś mi to oznajmił. Wiedziałem, że muszę zrobić to, co mi mówi, więc podniosłem się i poszedłem za nim. Poprowadził mnie daleko w góry. Przez cały czas była wokół niego ta księżycowa poświata. W końcu znaleźliśmy się na szczycie jakiejś góry, której nigdy jeszcze nie widziałem. Był tam ogród... drzewa, owoce, wszystko. A pośrodku było źródło.

Wiedziałem, że to źródło, bo widać było wodę wypływającą z dna jakby studni, ale o wiele większej niż większość zwykłych studni... coś takiego, jak duża kolista wanna z marmurowymi brzegami i stopniami prowadzącymi w dół, do wody. Nigdy nie widziałem tak czystej wody. Pomyślałem sobie, że gdybym mógł się w niej zanurzyć, na pewno ulżyłoby to mojej bolącej łapie. Ale lew powiedział, że muszę się najpierw rozebrać. Tak, powiedział to, chociaż nie mam pojęcia, czy wymówił jakieś słowa, czy nie.

Właśnie zamierzałem mu odpowiedzieć, że nie mogę się rozebrać, bo przecież nie mam na sobie żadnego ubrania, gdy nagle przyszło mi do głowy, że smoki chyba należą do rodziny węży, a węże mogą zrzucać skórę. No tak, pomyślałem, o to właśnie mu chodzi. Zacząłem się więc drapać, aż łuski się ze mnie sypały. Potem zacząłem się drapać jeszcze mocniej, jeszcze głębiej... i oto cała skóra złuszczyła się ze mnie cudownie, jak to się czasem dzieje po chorobie albo jakbym był bananem. Nie minęła minuta, może dwie, gdy po prostu wylazłem sobie ze skóry... cały z niej wyszedłem, bo widziałem ją leżącą na ziemi obok... a nie był to najprzyjemniejszy widok. Ach, jak cudownie się poczułem! Potem zacząłem schodzić po stopniach do tej studni, żeby się wykąpać.

Już miałem włożyć nogę do wody, gdy spojrzałem w dół i zobaczyłem, że moje nogi są znowu stwardniałymi, szorstkimi, powykręcanymi i pokrytymi łuską łapami smoka. Och, to nic, powiedziałem sobie, to tylko znaczy, że miałem drugą skórę pod pierwszą i ją też muszę zrzucić. Znowu zacząłem się drapać i czochrać i ta druga skóra zlazła ze mnie równie pięknie jak pierwsza. Wystąpiłem z niej, zostawiłem ją obok pierwszej i zszedłem do marmurowej wanny.

No i stało się dokładnie to samo, co przedtem. Powiedziałem do siebie: och, ja biedny, ile jeszcze skór mam zrzucić? Bardzo, bardzo chciałem się drapać i po raz trzeci zrzuciłem skórę i wyszedłem z niej. I jak tylko spojrzałem na swoje odbicie w wodzie, wiedziałem, że nic nie pomogło.

Wtedy lew powiedział... chociaż i tym razem nie wiem, czy przemówił głosem: „Musisz pozwolić, abym ja cię rozebrał". Wyznam ci, że bardzo się bałem jego pazurów, ale teraz było mi już wszystko jedno. Więc przewaliłem się na grzbiet i czekałem, co będzie.

Już za pierwszym razem wbił pazury w moją skórę tak głęboko, że wydawało mi się, iż sięgnęły do samego serca. A kiedy zaczął ściągać ze mnie skórę, poczułem taki ból, jakiego jeszcze nigdy w życiu nie czułem. Jedyną rzeczą, jaka pozwalała mi ten ból wytrzymać, była ulga przy zsuwaniu się ze mnie tego paskudztwa. Wiesz, coś takiego, jak zdrapywanie sobie strupa ze zranionego miejsca. Boli, ale drapiesz dalej, bo cieszysz się, że to złazi.

– Bardzo dobrze cię rozumiem – wtrącił Edmund.

– No więc ściągnął ze mnie to okropne świństwo do końca, tak jak ja to zrobiłem trzy razy, tyle że przedtem tak nie bolało, i leżało teraz na trawie, o wiele bardziej grube, ciemne i guzowate niż tamte trzy. A tu byłem ja: gładki i świeży jak odarta z łyka gałązka, no i mniejszy niż przedtem. Potem złapał mnie w pazury... nie było to zbyt przyjemne, bo teraz, po zrzuceniu skóry, byłem bardzo wrażliwy... i wrzucił do wody. Przez chwilę strasznie mnie zapiekło, ale w chwilę później poczułem się cudownie, zacząłem pływać i chlapać się, a ból w ręku całkowicie ustąpił. I wtedy zobaczyłem dlaczego. Znowu byłem chłopcem. Pewnie pomyślisz, że udaję, kiedy ci powiem, co czułem wobec swoich własnych rąk. Wiem, że nie mam muskułów i że w ogóle w porównaniu z rękami Kaspiana to są chude, żałosne patyki, ale naprawdę mi się podobały, gdy na nie patrzyłem. A po jakimś czasie lew wyciągnął mnie z wody i ubrał...

– Ubrał cię?! Pazurami?

– Wiesz, nie bardzo pamiętam, jak to było. Ale tak czy inaczej, ubrał mnie w nowe ubranie, to, które mam na sobie. A potem nagle znalazłem się tutaj. To chyba musiał być sen.

– Nie, to nie był sen – powiedział Edmund.

– Dlaczego nie?

– Jak to, przecież widzę to ubranie. A poza tym, przecież zostałeś... no... jak by to powiedzieć... odsmoczony.

– Więc co to mogło być? – zapytał Eustachy.

– Myślę, że spotkałeś Aslana – odpowiedział Edmund.

– Aslana! – zawołał Eustachy. – Słyszałem to imię kilka razy na pokładzie „Wędrowca do Świtu". I czułem... nie wiem co... chyba go nienawidziłem. Ale wtedy nienawidziłem wszystkich. A w ogóle, chciałbym cię przeprosić. Obawiam się, że zachowywałem się okropnie.

– Nie ma o czym mówić – powiedział Edmund. – Między nami mogę ci wyznać, że nie byłeś tak zły, jak ja podczas naszej pierwszej wyprawy do Narnii. Zachowywałeś się po prostu jak osioł, a ja byłem zdrajcą.

– Więc w ogóle mi o tym nie opowiadaj. Opowiedz mi o Aslanie. Znasz go?

– No cóż, to raczej on zna mnie. Aslan to Wielki Lew, syn Władcy-Zza-Morza. Wybawił mnie i wybawił całą Narnię z wielkiego nieszczęścia. Wszyscy go widywaliśmy. Łucja najczęściej. A tam, gdzie płyniemy, może być Kraina Aslana.

Przez chwilę obaj milczeli. Ostatnia jasna gwiazda nad horyzontem znikła i chociaż góry po prawej stronie zasłaniały im widok wschodzącego słońca, wiedzieli, że już wzeszło, bo zatoka zrobiła się zupełnie różowa. Potem jakiś ptak zaskrzeczał jak papuga gdzieś w lesie, posłyszeli ruch między drzewami i dźwięk rogu Kaspiana. Obóz budził się do życia.

Wielka była radość, kiedy Edmund i odnowiony Eustachy wkroczyli w krąg towarzyszy podróży zebranych wokół porannego ogniska. Wszyscy chcieli oczywiście usłyszeć całą historię od początku. Dyskutowano, czy tamten smok zabił barona Oktezjana kilka lat temu, czy też to sam Oktezjan był owym starym smokiem. Klejnoty, którymi Eustachy napchał sobie kieszenie w jaskini, znikły wraz z jego starym ubraniem, ale nikt – a już szczególnie sam Eustachy – nie

miał najmniejszej ochoty, by wrócić do smoczej dolinki po resztę skarbu.

Po kilku dniach „Wędrowiec do Świtu" był gotów do drogi, z nowym masztem, wyreperowany i dobrze zaopatrzony w prowiant. Zanim odpłynęli, Kaspian kazał wykuć w gładkiej ścianie skalnego urwiska nad zatoką następujące słowa:

SMOCZA WYSPA ODKRYTA
PRZEZ KASPIANA X KRÓLA NARNII ETC.
W CZWARTYM ROKU JEGO PANOWANIA

TUTAJ, JAK PRZYPUSZCZAMY, PANA BARONA OKTEZJANA SPOTKAŁA ŚMIERĆ

Byłoby miło – i nie byłoby to dalekie od prawdy – powiedzieć wam, że „od tego czasu Eustachy stał się zupełnie innym chłopcem". Żeby jednak być ścisłym, należałoby powiedzieć „zaczął być zupełnie innym chłopcem". Miał swoje nawroty. Przyszło jeszcze wiele dni, w których był nieco męczący. Ale nie będę wspominał o większości z nich. Kuracja się rozpoczęła.

Dziwny był los bransolety barona Oktezjana. Eustachy nie chciał jej zatrzymać i ofiarował ją Kaspianowi, a Kaspian ofiarował ją Łucji. Ale Łucja też nie miała na nią wielkiej ochoty.

– No więc dobrze, będzie ją miał ten, kto ją złapie – powiedział Kaspian i rzucił ją wysoko w powietrze. Było to wtedy, gdy wszyscy przyglądali się świeżo wykutemu w skale napisowi. Bransoleta śmignęła w powietrze, błyskając w słońcu, i zaczepiła się, jak dobrze rzucone na jarmarku kółko, na niewielkim występie skały. Nikomu nie udało się wspiąć na skałę z dołu ani też opuścić po niej z góry. I wisi tam, o ile wiem, aż do dzisiaj, i może tak wisieć aż do końca świata.

ROZDZIAŁ 8

Dwakroć o włos od zguby

DOBRY NASTRÓJ OGARNĄŁ WSZYSTKICH, kiedy „Wędrowiec do Świtu" odpływał wreszcie ze Smoczej Wyspy. Po opuszczeniu zatoki złapali pomyślny wiatr i następnego ranka dopłynęli do owego nieznanego lądu, który widzieli już z wysoka, gdy Eustachy był jeszcze smokiem i fruwał nad górami. Była to płaska, zielona wyspa zamieszkana teraz jedynie przez króliki i kilka kóz, ale – sądząc po ruinach kamiennych domostw i po czarnych śladach ognisk – musieli tu żyć ludzie, i to nie tak dawno.

– To mi wygląda na robotę piratów – zauważył Kaspian.

– Albo smoka – dodał Edmund.

Prócz tego znaleźli na plaży jedynie czółno ze skóry naciągniętej na wiklinowy szkielet. Było bardzo małe – niewiele ponad metr długości – a i wiosło, które leżało w środku, pasowało do tych rozmiarów. Pomyśleli, że łódkę zrobiono dla dziecka albo też, że wyspę zamieszkiwały kiedyś karły. Ryczypisk był zdania, że warto ją zatrzymać, bo znakomicie pasowała do jego wzrostu. Zabrano ją więc na pokład. Nazwali tę ziemię Spaloną Wyspą i zanim nadeszło południe, pożeglowali dalej.

Płynęli prawie pięć dni, mając w żaglach silny południowo-wschodni wiatr, a wokół nich nie było nic prócz morza – ani lądu, ani ryb, ani mew. Potem nadszedł dzień, gdy od rana do wieczora lało jak z cebra. Eustachy przegrał z Ryczypiskiem dwie partie szachów i zaczął się zachowywać jak dawny, nieznośny Eustachy, a Edmund wyraził ni stąd, ni zowąd żal, że nie pojechał do Ameryki z Zuzanną. A potem Łucja spojrzała przez okno w sterówce i zawołała:

– Hej! Naprawdę przestaje padać. A co TO takiego?

Wszyscy rzucili się na górę, na pokład rufowy. Deszcz rzeczywiście ustał. Drinian, który miał wachtę, wpatrywał się w coś – albo raczej w kilka rzeczy – za rufą. Wyglądało to na rząd gładkich, krągłych skał wynurzających się z wody co jakieś dwanaście metrów.

– Ale przecież to nie mogą być skały – stwierdził Dinian – bo jeszcze pięć minut temu ich nie było.

– A jedna właśnie znikła – zauważyła Łucja.

– Tak, a teraz pojawiła się nowa – powiedział Edmund.

– I bliżej nas – dodał Eustachy.

– A niech to licho porwie! – zawołał Kaspian. – To coś przesuwa się w naszym kierunku!

– I porusza się o wiele szybciej niż nasz statek – rzekł Drinian. – Za chwilę nas dosięgnie!

Wszyscy wstrzymali oddech, bo wcale nie jest przyjemnie być ściganym przez coś nieznanego, niezależnie od tego, czy dzieje się to na lądzie, czy na morzu. Rzeczywistość była jednak groźniejsza, niż ktokolwiek mógł przypuszczać. Nagle, w odległości nie większej niż odstęp między bramkami w krykiecie, po lewej burcie wyłoniła się z morza straszliwa głowa. Była zielonocynobrowa, z purpurowymi plamami, oblepiona gdzieniegdzie skorupiakami. Przypominała łeb konia bez uszu. Miała wielkie ślepia zdolne do widzenia w głębinach oceanów i rozwartą paszczę, w której widać było dwa rzędy ostrych rybich zębów. Głowa osadzona była na czymś, co początkowo wzięli za długą szyję, ale kiedy wyłoniło się tego z wody więcej, zrozumieli, że to nie szyja, lecz całe cielsko potwora, i że wreszcie widzą na własne oczy to, co tak wielu ludzi chciałoby (a nie świadczy to wcale o ich mądrości) zobaczyć: wielkiego węża morskiego. Falujące sploty gigantycznego ogona wyłaniały się raz po raz daleko za statkiem, a potworny łeb unosił się teraz nad nimi, sięgając ponad maszt.

Każdy chwycił za broń, ale nie można było nic zrobić, bo potwór znajdował się poza zasięgiem ciosu.

– Strzelajcie! Strzelajcie! – zawołał mistrz łuczników i kilku posłuchało, lecz strzały odbiły się od skóry węża morskiego, jakby była okuta żelazem. Upiorny łeb zawisł nad okrętem i przez chwilę wszyscy zamarli w ciszy, wpatrując się w ohydne ślepia i zastanawiając się gorączkowo, gdzie łeb ugodzi.

Ale nie ugodził – zatrzymał się na wysokości marsa. Potem cielsko wyciągnęło się poziomo dalej i dalej, aż łeb sięgnął prawego nadburcia, a potem zaczął się powoli obniżać, by wreszcie opaść – nie na zapełniony ludźmi pokład, lecz do morza po prawej stronie. Okręt znajdował się teraz pod łukiem utworzonym z cielska węża. Nie trwało to jednak długo. Łuk zaczął się obniżać i zacieśniać; po chwili dotykał już prawie lewej burty „Wędrowca do Świtu".

Eustachy (który za wszelką cenę chciał się zachować godnie, czując, że długotrwały deszcz i przegrane partie szachów cofnęły go nieco w stronę dawnego Eustachego) odważył się teraz na pierwszy dzielny czyn w swoim życiu. U boku miał miecz, który mu pożyczył Kaspian. Gdy tylko cielsko węża było już dostatecznie blisko lewej burty, wskoczył na nadburcie i zaczął walić klingą w potwora ze wszystkich sił. Co prawda, nie dało to nic poza połamaniem na kawałki jednego z najlepszych mieczy Kaspiana, ale był to na pewno wspaniały wyczyn jak na kogoś, kto po raz pierwszy miał miecz w ręku.

Widząc to, reszta rzuciła się z orężem, by uczynić to samo, gdy rozległ się okrzyk Ryczypiska:

– Nie walczmy! Spychajmy!

Ryczypisk wzywający do zaniechania walki był zjawiskiem tak niezwykłym, że nawet w tak strasznej chwili wszyscy zatrzymali się i spojrzeli na niego. A kiedy wskoczył na nadburcie i wparł się swoimi szczupłymi, pokrytymi futerkiem plecami w łuskowate, śliskie cielsko węża, i zaczął pchać ze wszystkich sił, duża część załogi pojęła, o co mu chodzi, i podbiegła do obu burt, by uczynić to samo. W chwilę później łeb węża morskiego wynurzył się ponownie z lewej burty. Teraz już wszyscy zrozumieli, co się dzieje.

Potwór otoczył „Wędrowca do Świtu" swym cielskiem jak wielką pętlą i właśnie tę pętlę zaciskał. Nie ulegało wątpliwości, że kiedy zaciśnie ją mocniej, cały okręt rozpadnie się z głośnym trzaskiem, a wówczas potwór bez trudu wyłowi każdego spomiędzy szczątków unoszonych przez fale. Mieli tylko jedną szansę: zepchnąć pętlę ze statku przez rufę lub też (aby to samo ująć innymi słowami) przesunąć statek do przodu, by uwolnić go z uścisku wężowej pętli.

Oczywiście Ryczypisk miał tyle samo szans na urzeczywistnienie swego pomysłu, co na podniesienie jakiejś katedry, ale napierał plecami z takim wysiłkiem, że kiedy przyłączyli się do niego inni, był już ledwo żywy. Wkrótce wszyscy pasażerowie i członkowie załogi – prócz Łucji i Ryczypiska, który w końcu zemdlał – stali w dwu ciasnych rzędach, napierając jeden na drugiego ze wszystkich sił, tak że wysiłek całego rzędu skupiał się na marynarzu wspartym na cielsku węża. Przez kilka strasznych, dłużących się w godziny chwil, kiedy każdy pchał i pchał, walcząc o życie, nic się nie zmieniło. Stawy trzeszczały, pot spływał kroplami na deski pokładu, słychać było sapanie i głuche postękiwania. A potem poczuli, że okręt drgnął. Wężowa pętla przesunęła się z trudem w kierunku rufy, zrobiła się jednak również nieco mniejsza. Dopiero teraz dostrzegli całą grozę sytuacji. Czy uda im się przepchać pętlę przez nadbudówkę rufową, czy jest już za ciasna? Tak! Chyba przejdzie! Już leży na balustradzie rufówki. Już przesuwa się dalej. Z tuzin lub więcej marynarzy skoczyło na pokład rufowy. Teraz szło o wiele lepiej. Cielsko węża morskiego prawie przylegało do pokładu, mogli więc utworzyć szereg i napierać na nie ramię przy ramieniu. Już wstąpiła we wszystkich otucha, gdy przypomnieli sobie o wysokim zwieńczeniu rufy w kształcie smoczego ogona. To niemożliwe. Pętla nie przejdzie przez rufę.

– Dajcie siekierę! – zawołał Kaspian ochrypłym głosem. – I pchać dalej!

Łucja, która zawsze wiedziała, gdzie co leży, stała akurat na pokładzie głównym, wpatrując się w rufówkę. W ciągu kilku sekund była już na dole, znalazła siekierę i wspinała się po drabinie wiodącej na pokład rufowy. Ale w tej chwili rozległ się głośny trzask, jakby drzewo upadło na ziemię, a potem okręt zakołysał się gwałtownie i wystrzelił do przodu. Bo w tym właśnie momencie – nie wiadomo dlaczego: czy spychano węża morskiego za gwałtownie, czy też on bezsensownie zacisnął swą pętlę zbyt mocno – całe rzeźbione zwieńczenie rufy oderwało się i okręt był wolny.

Pozostali byli zbyt wyczerpani, by dostrzec to, co zobaczyła Łucja. Zaledwie kilka metrów za rufą pętla utworzona z cielska węża morskiego zacisnęła się błyskawicznie i z głośnym pluskiem znikła w morzu. Łucja opowiadała później (choć oczywiście była w tamtym momencie bardzo podniecona i mogło się jej wydawać), że widziała, jak na pysku potwora pojawił się wyraz głupkowatego zadowolenia. Jedno było pewne: wąż nie grzeszył mądrością, bo zamiast ścigać okręt, obracał łbem naokoło, jakby spodziewał się znaleźć w morzu szczątki „Wędrowca do Świtu". Ale okręt był już daleko. Żagle znów wypełniły się wiatrem, a cała załoga siedziała lub leżała na pokładzie, sapiąc i pojękując, aż w końcu odzyskała siły na tyle, by zacząć rozprawiać o przygodzie, a potem nawet z niej żartować. A kiedy wydobyto trochę rumu, rozległy się wiwaty; wszyscy wychwalali męstwo Eustachego (chociaż nie na wiele się ono zdało) i Ryczypiska.

Po tym wydarzeniu żeglowali przez następne trzy dni, nie widząc nic prócz morza i nieba. Czwartego dnia wiatr zmienił się: dął teraz z północy i fale zaczęły rosnąć. Pod wieczór był już prawie sztorm. Ale właśnie wtedy zobaczyli ląd z lewej burty.

– Jeżeli pozwolisz, miłościwy panie – rzekł Drinian – spróbujemy podejść do lądu od zawietrznej, wpłynąć za pomocą wioseł do jakiejś zatoki i przeczekać sztorm.

Kaspian zgodził się, ale siła wiatru była już tak duża, że wiosłując pod wiatr, nie zdołali dopłynąć do lądu przed wieczorem. Było już ciemno, gdy wpłynęli do jakiejś naturalnej przystani i rzucili kotwicę, nikt jednak nie zszedł na ląd tej nocy. Rankiem stwierdzili, że znajdują się w zielonej zatoce, u brzegów dzikiego, poprzecinanego wąwozami lądu, wznoszącego się ku skalistym szczytom. Spoza gór, z północy, dął silny wiatr i szybko napływały chmury. Spuścili szalupę i załadowali ją pustymi beczkami na wodę.

– Z którego strumienia zaczerpniemy wody, Drinianie? – zapytał Kaspian, siadając na rufie łodzi. – Wygląda na to, że są dwa, i oba wpływają do zatoki.

– Bez różnicy, panie – odparł Drinian. – Chyba jednak ten z prawej burty jest nieco bliżej.

– Oho, zaczyna padać – zauważyła Łucja.

– Nie zaczyna, ale już leje – powiedział Edmund, bo teraz rozpadało się na dobre. – Mówię wam, płyńmy do tego drugiego strumienia. Jest tam trochę drzew i będziemy mieć jakieś schronienie.

– Tak, płyńmy tam – dodał Eustachy. – Nie ma sensu zmoknąć bardziej, niż się musi.

Ale Drinian przez cały czas sterował w lewo, jak niektórzy męczący kierowcy, którzy jadą dalej sześćdziesiąt kilometrów na godzinę, chociaż mówi im się, że zmylili drogę.

– Oni mają rację, kapitanie – zauważył Kaspian. – Czemu nie zrobisz zwrotu i nie skierujesz łodzi do tego zachodniego strumienia?

– Jak sobie wasza królewska mość życzy – odpowiedział Drinian trochę zbyt szorstko. Miał wczoraj niespokojny dzień z powodu sztormu i nie lubił rad udzielanych przez szczury lądowe. Zmienił jednak kurs; później się okazało, że dobrze zrobił.

Kiedy skończyli napełniać beczki wodą, deszcz ustał i Kaspian, Eustachy, rodzeństwo Pevensie i Ryczypisk postanowili wspiąć się na szczyt i zobaczyć, co stamtąd widać. Było to trudne podejście przez ostre trawy i wrzosy. Prócz mew nie zauważyli żadnych śladów życia. Na szczycie okazało się, że wyspa jest niewielka (nie więcej niż dwadzieścia akrów), a morze z tej wysokości wydaje się bardziej rozległe i odludne niż z pokładu lub nawet z marsa „Wędrowca do Świtu".

– Wiesz, to chyba zupełne wariactwo – powiedział cicho Eustachy do Łucji, wpatrując się we wschodni horyzont. – Żeglować tak przed siebie, coraz dalej w TO, bez najmniejszego pojęcia o tym, co nas może spotkać! – Ale powiedział to tylko z przyzwyczajenia, bez prawdziwej złośliwości, jaka cechowała zwykle dawnego Eustachego. Dął silny północny wiatr i było zbyt zimno, by pozostawać dłużej na szczycie.

– Nie wracajmy tą samą drogą – powiedziała Łucja, kiedy ruszali z powrotem. – Idźmy trochę dalej tym grzbietem i zejdźmy wzdłuż tamtego drugiego strumienia, tego, do którego chciał płynąć Drinian.

Wszyscy chętnie na to przystali i po kwadransie znaleźli się u źródeł drugiego strumienia. Było to miejsce ciekawsze, niż się spodziewali: głębokie górskie jeziorko otoczone skałami ze wszystkich stron, prócz jednego wąskiego siodła od strony morza, przez które przelewała się woda, tworząc bystry potok. Tutaj znaleźli wreszcie osłonę od wiatru, usiedli więc wśród wrzosów nad urwiskiem, by nieco odpocząć.

Usiedli wszyscy, ale jedno z nich (był to Edmund) natychmiast podskoczyło z okrzykiem:

– Ależ ostre kamienie są na tej wyspie, nie ma co! Gdzie jest to przeklęte świństwo?... O, tutaj! – dodał, macając wśród wrzosów. – Hej! To wcale nie kamień, to rękojeść miecza. Nie, do pioruna! To cały miecz, w każdym razie to, czego jeszcze rdza nie zjadła. Musi tu leżeć od stuleci.

– Wygląda na narnijski – powiedział Kaspian, kiedy otoczyli Edmunda, oglądając znalezisko.

– Ja też na czymś siedzę – odezwała się Łucja. – Na czymś twardym.

Okazało się, że to żelazna tarcza. Teraz już wszyscy pełzali na czworakach i przeszukiwali gęste wrzosy. Znaleźli kolejno: hełm, sztylet i kilka monet. Nie były to kalormeńskie krescenty, ale prawdziwe narnijskie „lwy" i „drzewa", takie, jakie można zobaczyć, kiedy się tylko zechce, na rynku w Bobertamie lub Berunie.

– Czy nie wydaje się wam, że to wszystko, co pozostało po jednym z naszych siedmiu baronów? – zapytał Edmund.

– O tym samym myślałem – powiedział Kaspian.

– Ciekaw jestem, który z nich zawędrował aż tutaj. Na mieczu nie ma żadnych znaków. Ciekaw też jestem, jak zginął.

– I jak możemy go pomścić – dodał Ryczypisk.

W tym czasie Edmund, jedyny spośród nich, który przeczytał wiele powieści kryminalnych, zajęty był swoimi myślami.

– Posłuchajcie – powiedział w końcu – w tym wszystkim jest coś podejrzanego. Ktokolwiek to był, nie mógł zginąć w walce.

– Po czym tak sądzisz? – zapytał Kaspian.

– Brakuje mi kości – odpowiedział Edmund. – Przeciwnik mógłby zabrać broń i pozostawić ciało. Ale czy ktoś z was słyszał o typie, który zwycięża w walce i pozostawia broń, zabierając ciało przeciwnika?

– A może zabiło go jakieś dzikie zwierzę? – podsunęła Łucja.

– Musiałoby to być niezwykle mądre zwierzę – zauważył Edmund – które by potrafiło zdjąć z człowieka stalową kolczugę.

– A może to był smok? – zapytał Kaspian.

– Mowy nie ma – odezwał się Eustachy. – Smok by tego nie zrobił. Ostatecznie trochę się na tym znam, możecie mi wierzyć.

– No dobrze, ale tak czy owak chodźmy już stąd – wtrąciła Łucja. Od czasu, gdy Edmund wspomniał o kościach, nie miała już ochoty siedzieć wśród wrzosów.

– Jak chcesz – rzekł Kaspian, podnosząc się. – Chyba nie warto zabierać ze sobą tych rupieci?

Zeszli nieco niżej i okrążyli jeziorko aż do miejsca, z którego wypływał strumień. Tu przystanęli, by popatrzeć na głęboką wodę otoczoną skalnym urwiskiem. Gdyby dzień był gorący, na pewno ktoś miałby ochotę na kąpiel, a już wszyscy chcieliby się napić chłodnej wody. Ale i teraz, pomimo niepogody, Eustachy już się schylał, by zaczerpnąć ręką nieco wody, gdy nagle Ryczypisk i Łucja krzyknęli jednocześnie: „Patrzcie!", więc zrezygnował ze swego zamiaru i spojrzał przed siebie.

Dno jeziorka pokrywały duże, szare kamienie. Woda była idealnie czysta. I oto na dnie zobaczyli naturalnych rozmiarów figurę człowieka wykonaną najwyraźniej ze szczerego złota. Posąg leżał twarzą w dół, z rękami wyciągniętymi nad głową. Wszyscy wpatrywali się weń bez słowa. Nagle przez dziurę w chmurach wyjrzało słońce i złoty kształt rozjarzył się w jego promieniach. Łucja pomyślała, że jeszcze nigdy nie widziała tak wspaniałego posągu.

– No wiecie – odezwał się Kaspian – warto było tu przyjść, żeby to zobaczyć. Zastanawiam się, czy nie dałoby się tego wyciągnąć.

— Możemy nurkować — powiedział Ryczypisk.

— To nic nie da — rzekł Edmund. — Jeśli to prawdziwe lite złoto, waży z pewnością tyle, że nie zdołamy tego podnieść. A to jeziorko może mieć ze cztery lub sześć metrów głębokości. Ale zaraz, poczekajcie. Dobrze zrobiłem, że zabrałem ze sobą myśliwski oszczep. Zaraz zobaczymy, jak tu głęboko. Trzymaj mnie za rękę, Kaspianie, a ja nachylę się trochę nad wodą.

Kaspian schwycił go za rękę, a Edmund, wychylony do przodu, zaczął zanurzać oszczep w wodę. Nim jeszcze drzewce zanurzyło się do połowy, Łucja powiedziała:

— Nie sądzę, by ten posąg był ze złota. To tylko takie oświetlenie. Twój oszczep ma teraz taki sam kolor.

— Co się stało?! — rozległo się jednocześnie kilka głosów, ponieważ Edmund nagle puścił oszczep.

— Po prostu nie mogłem go utrzymać — wysapał. — Jest za CIĘŻKI.

— A teraz leży na dnie — powiedział Kaspian — i Łucja ma rację: ma zupełnie taki sam kolor jak ta figura.

W tej samej chwili Edmund, który chyba miał jakieś kłopoty ze swoimi butami — w każdym razie nachylił się i oglądał je z bliska – wyprostował się gwałtownie i zawołał ostrym i donośnym głosem, jakiemu nie można się sprzeciwić:

– Cofnąć się! Z dala od tej wody! Wszyscy! Natychmiast!

Wszyscy cofnęli się i wlepili w niego oczy.

– Spójrzcie! – powiedział Edmund. – Spójrzcie na czubki moich butów.

– Trochę się zażółciły – zaczął Eustachy.

– Zażółciły! Są teraz ze złota, z litego złota – przerwał mu Edmund. – Popatrzcie tylko. Dotknijcie. Nie ma już nawet śladu skóry. A ciężkie są jak z ołowiu.

– Na Aslana! – zawołał Kaspian. – Czy chcesz powiedzieć, że...

– Tak, chcę – przerwał mu Edmund. – Ta woda wszystko przemienia w złoto. Zamieniła mój oszczep w złoto, dlatego stał się taki ciężki. Chlapnęła na moje buty... całe szczęście, że nie byłem boso... i zamieniła w złoto ich czubki. A ten biedak na dnie... no cóż, sami widzicie...

– Och, nie! – krzyknęła Łucja. – To straszne!

– I pomyśleć, że i MY byliśmy o włos od nieszczęścia – dodał Edmund.

– Zaiste, o włos – powiedział Ryczypisk. – W każdej chwili czyjś palec, czyjaś stopa, czyjś wąs lub ogon mógł zanurzyć się w tej wodzie.

– Mimo wszystko – rzekł Kaspian – warto by to jednak sprawdzić.

Schylił się i zerwał pęk wrzosu, potem bardzo ostrożnie ukląkł na brzegu jeziorka i zanurzył go w wodzie.

To, co zanurzył, było z całą pewnością wrzosem; to, co wyjął z wody, było doskonałym modelem gałązek wrzosu wykonanym z najczystszego złota, ciężkiego i miękkiego jak ołów.

– Król tej wyspy – powiedział Kaspian powoli, a na jego twarzy pojawiły się rumieńce – będzie wkrótce najbogatszym ze wszystkich monarchów świata. Ogłaszam uroczyście, że od tej chwili i na zawsze ta wyspa należy do Królestwa Narnii. Nadaję jej nazwę Wyspa Złotej Wody. I zobowiązuję was wszystkich do zachowania tajemnicy. Nikt nie może dowiedzieć się o tym jeziorku. Nawet Drinian, pod groźbą śmierci, słyszycie?

– Do kogo ta mowa? – przerwał mu Edmund. – Ja nie jestem twoim poddanym. Jeżeli już chcesz o tym mówić, to może być tylko odwrotnie. Jestem jednym z czterech starożytnych władców Narnii, a ty jesteś winien posłuszeństwo Wielkiemu Królowi, mojemu bratu.

– A więc tak stawiasz sprawę, królu Edmundzie? – rzekł Kaspian, kładąc dłoń na rękojeści miecza.

– Och, przestańcie już, jeden i drugi – powiedziała Łucja. – To jest właśnie najgorsze, kiedy robi się coś z chłopcami. Wszyscy jesteście takimi nadętymi, kłótliwymi durniami... Oooooooch! – urwała nagle, a ostatnie słowo zmieniło się w zduszony okrzyk. I wszyscy pozostali ujrzeli to, co zobaczyła Łucja.

Po szarym zboczu – szarym, bo wrzosy jeszcze nie zakwitły – bezszelestnie, nie patrząc na nich i jaśniejąc, jakby oblewało go pełne słońce, chociaż słońce ukryte było za chmurami, przeszedł największy lew, jakiego kiedykolwiek oglądały ludzkie oczy. Opisując później tę scenę, Łucja powiedziała: „Był wielkości słonia", chociaż innym razem powiedziała: „Był wielkości dużego, wiejskiego konia". Ale nie wielkość była tu najważniejsza. Nikt nawet nie śmiał zapytać, co to za lew. Wiedzieli, że zobaczyli Aslana.

I nikt nie zauważył, dokąd poszedł lub w jaki sposób zniknął. Popatrzyli po sobie jak ludzie, którzy obudzili się ze snu.

– O czym myśmy właściwie mówili? – odezwał się Kaspian. – Zdaje się, że robiłem z siebie osła?

– Panie – rzekł Ryczypisk – to miejsce jest przeklęte. Natychmiast wracajmy na pokład. I jeśli to ja miałbym honor nadać nazwę tej wyspie, nazwałbym ją Wyspą Śmiertelnej Wody.

– To bardzo dobra nazwa, Ryczypie – powiedział Kaspian. – Chociaż, gdy zaczynam się nad tym zastanawiać, nie wiem dlaczego. Ale pogoda chyba się ustaliła i jestem pewien, że Drinian chciałby ruszyć w drogę. Tyle mamy mu do opowiedzenia!

Ale w rzeczywistości niewiele mieli mu do opowiedzenia. Każdy zapamiętał nieco inaczej to, co wydarzyło się w ciągu ostatniej godziny.

– Kiedy ich wysokości wróciły na pokład, wyglądały, jakby były trochę... hm... zaczarowane – opowiadał Drinian Rinsowi w parę godzin później, gdy „Wędrowiec do Świtu" był już pod pełnym żaglem, a Wyspa Śmiertelnej Wody znikła na horyzoncie. – Coś im się tam przydarzyło. W każdym razie zrozumiałem tylko jedno, że znaleźli ciało jednego z tych baronów, których poszukujemy. Tak przynajmniej sądzę.

– Jeśli to prawda, kapitanie – odpowiedział Rins – to już mamy trzech. Brakuje nam tylko czterech. W tym tempie możemy wrócić do domu po Nowym Roku. Ale dobre i to. Mój zapas tytoniu zaczyna się kurczyć. Dobrej nocy, kapitanie.

ROZDZIAŁ 9

Wyspa Głosów

WIATR, KTÓRY TAK DŁUGO WIAŁ od północnego zachodu, zmienił się teraz na zachodni. Odtąd każdego ranka, gdy słońce wynurzało się z morza, wygięty do tyłu dziób „Wędrowca do Świtu" wyznaczał dokładnie sam środek jego tarczy. Niektórzy twierdzili, że słońce jest teraz jakby większe niż w Narnii, ale inni uważali to za złudzenie. I tak żeglowali i żeglowali na wschód, gnani łagodnym, lecz stałym wiatrem, nie widząc ani ryb, ani mew, ani żadnego obcego okrętu, ani lądu. Zapasy zaczęły się kurczyć, a do ich serc wkradła się obawa, że być może znaleźli się na oceanie, który nie ma końca. Nadszedł wreszcie świt ostatniego dnia, po którym ryzyko dalszego żeglowania na wschód byłoby zbyt wielkie, tak mało już mieli żywności. I właśnie wtedy, dokładnie na linii wyznaczanej przez dziób okrętu i słońce, pojawił się niski ląd, majaczący na widnokręgu jak obłok.

Po południu rzucili kotwicę w szerokiej zatoce i przeprawili się łodzią na brzeg. Był to ląd zupełnie inny od tych, które dotychczas spotkali. Tuż za piaszczystą plażą rozpościerała się cicha i pusta równina, na której nie dostrzegali śladów życia. Hen, aż po horyzont rosła trawa tak gładka i krótka, jaką można zobaczyć tylko w jakimś wielkim angielskim parku, w którym zatrudnia się dziesięciu ogrodników. Były i drzewa, ale każde rosło osobno, jedno daleko od drugiego. Pod drzewami nie zauważyli połamanych gałązek ani opadłych liści. Panowała cisza, którą tylko od czasu do czasu przerywało gruchanie gołębia.

W końcu doszli do miejsca, w którym zaczynała się długa, prosta, wysypana piaskiem aleja, wysadzana

po obu stronach drzewami. Z piasku nie wyrastała ani jedna trawka. Daleko, na drugim końcu alei, zobaczyli jakiś dom – długi i szary, pełen niezwykłego spokoju, skąpany w promieniach popołudniowego słońca.

Kiedy weszli w aleję, Łucja poczuła, że jakiś kamyk wpadł jej do buta i uwiera w nogę. Na pewno byłoby mądrzej, gdyby w takim nieznanym miejscu poprosiła swych towarzyszy o poczekanie na nią, aż wyjmie kamyk. Ale Łucja tego nie zrobiła i nikt nie zauważył, że pozostała w tyle. Usiadła pod drzewem, by zdjąć but. Nie było to łatwe, bo sznurowadło się zasupłało. Zanim rozplątała supeł, reszta już się oddaliła. Kiedy wreszcie wyjęła kamyk i wkładała pantofel, już ich nawet nie słyszała. Ale prawie w tej samej chwili usłyszała coś innego. A to, co usłyszała, wcale nie dochodziło od strony domu.

Było to głuche dudnienie. Brzmiało tak, jakby tuziny robotników waliły z całej siły w ziemię wielkimi, drewnianymi młotami. Dźwięki szybko się przybliżały. Łucja siedziała oparta plecami o drzewo, ale nie było ono z rodzaju tych, na które można się wdrapać, więc nie pozostawało jej nic innego, jak tylko siedzieć bez ruchu, przyciskać się do drzewa i mieć nadzieję, że zostanie niezauważona.

Bum – bum – bum – a cokolwiek to było, tak się już przybliżyło, że czuła drżenie ziemi. Nadal jednak niczego nie widziała. Przez chwilę była już pewna, że źródło dziwnego hałasu jest tuż za nią, lecz w chwilę później wiedziała, że jednak jest w alei: świadczył o tym nie tylko kierunek odgłosów, ale i piasek, który w paru miejscach wzbił się w powietrze, jakby go coś uderzyło z całej siły. Potem dudniące dźwięki zlały się ze sobą jakieś dobre kilka metrów dalej i nagle ucichły. Wtedy rozległ się Głos.

Było to naprawdę straszne, bo wciąż nikogo nie widziała. Parkowy krajobraz wyglądał nadal tak samo – opustoszały i spokojny – jak wówczas, gdy zobaczyli go po raz pierwszy. A jednak, zaledwie o dwa czy trzy kroki od niej, ktoś mówił:

– Bracia, teraz mamy szansę.

A potem chór innych głosów odpowiedział:

– Słuchajcie go. Słuchajcie go. Powiedział: Teraz mamy szansę. Dobra robota, szefie. Masz świętą rację.

– A oto mój plan – ciągnął pierwszy głos. – Zaczaimy się na nich przy brzegu, koło łodzi. Niech każdy bez wyjątku przygotuje broń. Złapiemy ich, kiedy będą chcieli wrócić na morze.

– Tak, to jest pomysł! – wrzasnęły inne głosy. – To twój najlepszy plan, szefie. Trzymaj się go, szefie. Trudno o lepszy plan.

– A więc żywo, bracia, żywo – powiedział pierwszy głos. – Ruszamy.

– Tak jest, szefie! – odpowiedziały głosy. – To najlepszy rozkaz, jaki mogłeś wydać. Właśnie to samo chcieliśmy powiedzieć. Ruszamy!

Po chwili znowu dało się słyszeć dudnienie – najpierw bardzo głośne i bliskie, a wkrótce coraz słabsze, oddalające się w stronę morza.

Łucja wiedziała, że nie ma czasu na siedzenie i łamanie sobie głowy nad tym, kim mogą być te niewidzialne istoty. Gdy tylko dudnienie ucichło w oddali, zerwała się i pobiegła ścieżką ile sił w nogach, aby dołączyć do innych i za wszelką cenę ich ostrzec.

Kiedy to wszystko się działo, pozostali doszli do tajemniczego domu. Był to niski budynek – zaledwie jednopiętrowy – z pięknego gładkiego kamienia, z wieloma oknami, częściowo porośnięty bluszczem. Było tu tak cicho, że Eustachy powiedział: „Na pewno jest pusty", ale Kaspian wskazał w milczeniu na słup dymu unoszący się z jednego z kominów.

Przez szeroką, otwartą na oścież bramę weszli na brukowany dziedziniec. I właśnie tutaj zdali sobie po raz pierwszy sprawę z tego, że w wyspie jest coś niesamowitego. Pośrodku dziedzińca zobaczyli studnię z pompą, a pod nią wiaderko. Nie byłoby w tym nic

dziwnego, gdyby nie oczywisty fakt, że rączka pompy poruszała się do góry i na dół, chociaż nie było widać nikogo, kto by nią poruszał.

– To jakieś czary – odezwał się Kaspian.

– To na pewno jakiś mechanizm! – powiedział Eustachy. – Myślę, że w końcu trafiliśmy na cywilizowany kraj.

W tej samej chwili Łucja – zdyszana i spocona – wbiegła na dziedziniec. Przyciszonym głosem próbowała im przekazać to, co podsłuchała. Kiedy wreszcie przynajmniej częściowo zrozumieli, o czym mówi, nawet najdzielniejsi nie wyglądali na zachwyconych.

– Niewidzialny wróg – mruknął Kaspian. – I odcięcie nas od łodzi. To ciężka sprawa.

– Czy nic nie możesz powiedzieć na temat RODZAJU tych istot, Łusiu? – zapytał Edmund.

– Jak mogę coś wiedzieć, skoro ich nie widziałam?

– Czy sądząc po odgłosach kroków, mogli to być ludzie?

– Nie słyszałam żadnych kroków. Tylko głosy i to okropne dudnienie, jakby kto walił drewnianym młotem.

– Zastanawiam się – rzekł Ryczypisk – czy nie staliby się widzialni, gdyby ich tak pomacać mieczem?

– Wygląda na to, że będziemy się musieli o tym przekonać – powiedział Kaspian. – Ale chodźmy stąd. Ktoś z tego towarzystwa jest przy pompie i słyszy wszystko, co mówimy.

Powrócili z dziedzińca w aleję, gdzie drzewa mogły ich nieco osłonić.

– Co prawda nie sądzę, by coś dało ukrywanie się przed istotami, których się nie widzi – zauważył Eustachy. – Mogą być wszędzie, nawet wokół nas.

– Drinianie – rzekł Kaspian – co myślisz o tym, by zrezygnować z łodzi, wyjść nad zatokę w innym miejscu i dać sygnał na „Wędrowca", aby podeszli i zabrali nas na pokład?

– Za płytko, wasza królewska mość – odpowiedział Drinian.

– Możemy dopłynąć wpław – odezwała się Łucja.

– Niech wasze wysokości zechcą mnie wysłuchać – rzekł Ryczypisk. – To szaleństwo sądzić, że uniknie się spotkania z niewidzialnym przeciwnikiem, ukrywając się, skradając i czołgając. Jeśli te istoty chcą z nami walczyć, to jest pewne, że do walki dojdzie. A bez względu na jej wynik, wolę zmierzyć się z nimi twarzą w twarz, niż być złapanym za ogon.

– Naprawdę myślę, że tym razem Ryczypisk ma rację – powiedział Edmund.

– Jestem pewna – dodała Łucja – że kiedy Rins i załoga zobaczą, że walczymy na wybrzeżu, spróbują COŚ zrobić.

– Kłopot w tym, że do głowy im nie przyjdzie, że walczymy, jeśli nie będzie widać żadnego przeciwnika – zauważył posępnie Eustachy. – Pomyślą, że wymachujemy mieczami w powietrzu dla zabawy.

Zapanowało niezbyt przyjemne milczenie.

– No cóż – odezwał się w końcu Kaspian – nic innego nie wymyślimy. Musimy iść i zmierzyć się z nimi. Uściśnijmy sobie wszyscy dłonie. Łucjo, załóż strzałę na cięciwę, reszta niech dobędzie mieczy i niech się dzieje, co ma się dziać. Może będą chcieli rokować.

Poszli więc z powrotem ku brzegowi morza, spoglądając w milczeniu na zielone łąki i spokojne drzewa. Kiedy dotarli do plaży i zobaczyli swoją łódź leżącą na piasku tam, gdzie ją zostawili, niejeden pomyślał, że może to wszystko tylko się Łucji wydawało. Ale zanim postawili stopy na piasku, usłyszeli głos:

– Ani kroku dalej, mości panowie, ani kroku dalej. Chcemy z wami porozmawiać. Jest tu nas więcej niż pięćdziesięciu, a każdy trzyma broń w garści.

– Słuchajcie go, słuchajcie go – rozległ się chór głosów. – To nasz szef. Możecie mu wierzyć. Mówi wam samą prawdę, ot co.

– Jakoś nie widzę tych pięćdziesięciu rycerzy – powiedział Ryczypisk.

– Masz rację, masz rację – rozległ się Głos Szefa. – Nie widzicie nas. A dlaczego? Bo jesteśmy niewidzialni.

– Mów tak dalej, szefie, mów tak dalej – zaszemrały Inne Głosy. – Mówisz, jak z książki. Nie mogli usłyszeć lepszej odpowiedzi.

– Uspokój się, Ryczypisku – powiedział cicho Kaspian, a potem podniósł głos i zawołał: – O wy, niewidzialni, czego od nas chcecie? Cóż takiego zrobiliśmy, by zasłużyć na waszą nieprzychylność?

– Chcemy czegoś, co może dla nas zrobić ta dziewczynka – odpowiedział Głos Szefa. Inne Głosy natychmiast wyjaśniły, że dokładnie to samo chciały powiedzieć.

– Dziewczynka! – warknął Ryczypisk. – Ta dama jest królową.

– Nic nie wiemy o królowych – powiedział Głos Szefa. (– Ani my, ani my – zaszemrały zgodnie Inne Głosy.) – Chcemy tylko czegoś, co ona może zrobić.

– Co to takiego? – zapytała Łucja.

– Jeżeli to jest coś, co uwłaczałoby czci jej wysokości – dodał Ryczypisk – to nie macie nawet zielonego pojęcia, ilu z was zabijemy przed naszą śmiercią.

— No cóż — zabrzmiał Głos Szefa — to długa opowieść. Może byśmy usiedli?

Propozycja została przyjęta ciepło przez Inne Głosy, ale Narnijczycy nadal stali.

— A więc — powiedział szef — rzecz ma się tak. Od dawien dawna, a trudno sobie nawet wyobrazić od jak dawna, ta wyspa jest własnością wielkiego Czarodzieja. A my wszyscy jesteśmy, albo raczej, że się tak wyrażę, byliśmy, jego sługami. Więc, by się skracać, ten Czarodziej, o którym mówię, on kazał zrobić nam coś takiego, co się nam nie podobało. A dlaczego nie? Bo tego nie chcieliśmy zrobić. No więc ten Czarodziej, on wpadł w straszny gniew, bo powinienem wam powiedzieć, że on władał tą wyspą i nie był przyzwyczajony do sprzeciwu. On był okropnie stanowczy, jeśli wiecie, co mam na myśli. Ale zaraz, o czym to ja mówiłem? Ach tak, a więc ten Czarodziej poszedł do siebie na górę... bo musicie wiedzieć, że tam na górze trzymał wszystkie rzeczy potrzebne do Czarów, a my mieszkaliśmy na dole... no więc, jak mówię, poszedł na górę i rzucił na nas urok. Szpecący urok. Gdybyście nas teraz zobaczyli, a jestem zdania, że możecie dziękować waszym gwiazdom, że nas nie widzicie, trudno byłoby wam uwierzyć, jak wyglądaliśmy przedtem, zanim nas zeszpecił. Naprawdę, nie dalibyście wiary. Więc byliśmy wszyscy tak strasznie brzydcy, że nie mogliśmy znieść swego widoku. I co zrobiliśmy wtedy? No cóż, powiem wam, co zrobiliśmy. Zaczekaliśmy, aż ten Czarodziej, o którym mówiłem, pójdzie spać po południu, a wtedy zakradliśmy się po schodach na górę i zuchwale złapaliśmy za jego Księgę Czarów, żeby zobaczyć, czy nie dałoby się coś zrobić z tym zeszpeceniem. I wierzcie mi albo nie wierzcie, ale zapewniam was, że nie mogliśmy znaleźć niczego: mam na myśli jakieś zaklęcie, które by zdjęło z nas tę brzydotę. A tu czas mijał i wierzcie mi, stary mógł się w każdej chwili obudzić, a ja calutki śmierdziałem potem, więc was nie oszukuję, no więc, żeby się streszczać, nie wiem, czy na szczęście, czy na nieszczęście natrafiliśmy w końcu na zaklęcie czyniące niewidzialnymi. I zdawało się nam, że lepiej być niewidzialnym niż tak okropnie brzydkim. A dlaczego lepiej? Bo to się nam bardziej podobało. Więc moja dziewczynka, która była w wieku tej dziewczynki, co jest z wami, a było to słodkie dziecko, zanim ją zeszpecił, chociaż teraz... no, ale lepiej się nad tym nie rozwodzić... więc, jak mówię, moja mała dziewczynka, ona wypowiedziała zaklęcie, bo to właśnie musiała być mała dziewczynka, chyba że sam Czarodziej, żeby to działało, jeśli mnie dobrze rozumiecie, bo inaczej to by nie działało. A dlaczego nie? Bo nic by się nie działo. Więc ta moja Klipsia wypowiedziała zaklęcie, bo muszę wam powiedzieć, że czytała naprawdę pięknie, no i wszyscy staliśmy się tak niewidzialni, jak można sobie było tylko wymarzyć. I zapewniam was, że to była wielka ulga, kiedy się przestało widzieć swoje twarze. W każdym razie na początku. Ale, mówiąc krótko, szybko się nam to śmiertelnie znudziło. I jeszcze jedno. Nikt z nas nie zauważył, czy Czarodziej, ten, o którym wam przedtem opowiadałem, też stał się niewidzialny, czy nie. Ale z drugiej strony, od tego czasu go nie widzieliśmy. Tak więc nie wiemy, czy umarł, czy gdzieś odszedł, czy siedzi tam na górze, niewidzialny, a może schodzi sobie na dół i też jest niewidzialny. I wierzcie mi, nic nie daje nadsłuchiwanie, bo on zawsze chodził boso i nigdy nie robił więcej hałasu niż duży kocur. I powiem wam po prostu, szlachetni panowie, to wszystko staje się takie, że po prostu nie można już tego znieść.

Tak brzmiała opowieść Głosu Szefa, choć bardzo ją skróciłem, pomijając wszystko, co mówiły w trakcie opowieści Inne Głosy. W rzeczywistości bowiem nigdy nie udało mu się wypowiedzieć więcej niż sześć lub najwyżej siedem słów, by mu nie przerywały chóralne potwierdzenia i zachęty do kontynuowania opowieści. Sprawiało to, że cierpliwość Narnijczyków wystawiona była na ciężką próbę. Kiedy się to wszystko skończyło, zapanowała długa cisza.

— Ale co to ma wszystko wspólnego z nami? — odezwała się w końcu Łucja. — Nie rozumiem.

— Coś takiego! Czyżbym skończył i nie wyłożył wszystkiego jasno? — zdziwił się Głos Szefa.

— Wyłożyłeś to, wyłożyłeś to jasno, szefie — zagrzmiały z entuzjazmem Inne Głosy. — Nikt nie wyłożyłby tego jaśniej i lepiej. Mów dalej, szefie, mów dalej.

— Chyba nie muszę opowiadać całej historii od początku… — zaczął Głos Szefa.

— Nie. Z całą pewnością nie jest to konieczne — odpowiedzieli jednocześnie Kaspian i Edmund.

— No więc, żeby to wszystko streścić w paru słowach — odezwał się znowu Głos Szefa — już od dawna czekamy i czekamy na jakąś milutką dziewczynkę z dalekich krajów, taką jak ty, panienko, żeby poszła na górę, wzięła Księgę Czarów, znalazła w niej zaklęcie odczarowujące z niewidzialności i wymówiła je. I wszyscy przysięgliśmy sobie, że gdy pojawią się na wyspie pierwsi cudzoziemcy, z milutką dziewczynką, ma się rozumieć, bo gdyby jej nie było, rzecz by się miała inaczej, więc przysięgliśmy, że nie pozwolimy im odjechać, dopóki nie zrobią dla nas tego, czego nam tak potrzeba! I właśnie dlatego, moi szlachetni panowie, jeżeli wasza dziewczynka sprawi nam zawód, będzie naszym bolesnym obowiązkiem poderżnąć wam wszystkim gardła. Tylko z poczucia obowiązku, że tak powiem, i bez żadnej obrazy, mam nadzieję.

– Nie widzę waszego oręża – powiedział Ryczypisk.

– Czy on także jest niewidzialny? – Zaledwie jednak wyrzekł te słowa, usłyszeli świst, a w jednym z drzew utkwiła włócznia.

– To jest włócznia – rozległ się Głos Szefa.

– Tak, to włócznia, szefie, to włócznia – przytaknął chór Innych Głosów. – Nie można było tego lepiej wyrazić.

– A tę włócznię miałem w ręku – ciągnął Głos Szefa. – Naszą broń można zobaczyć dopiero wtedy, gdy wypadnie nam z ręki.

– Ale dlaczego chcecie, żebym właśnie JA to zrobiła? – zapytała Łucja. – Dlaczego nie zrobi tego ktoś z was? Czy nie ma wśród was dziewczynek?

– Nie ośmielamy się, nie ośmielamy się – powiedziały Głosy. – Nigdy nie wejdziemy ponownie na górę.

— Innymi słowy — rzekł Kaspian — chcecie, żeby ta mała dama stawiła czoło jakiemuś niebezpieczeństwu, bo nie ośmielacie się o to prosić swoich własnych sióstr i córek!

— O to chodzi, o to właśnie chodzi — ryknęły ochoczo Głosy. — Nie mogłeś tego lepiej powiedzieć. Ech, jesteś na pewno wykształcony. Każdy to widzi.

— No więc, wy wszystkie odrażające... — zaczął Edmund, ale Łucja mu przerwała:

— Czy muszę iść na górę w nocy, czy może to być za dnia?

— Och, za dnia, za dnia, to jasne — odpowiedział Szef Głosów. — Nie w nocy. O to nikt cię nie prosi. Iść na górę w nocy? Brrrr...

— No więc dobrze, zrobię to — powiedziała Łucja. — Nie — dodała, odwracając się do swych towarzyszy — nie próbujcie mnie zatrzymywać. Czy nie widzicie, że to bezcelowe? Jest ich tu mnóstwo. Nie możemy ich zwyciężyć. A z drugiej strony... to JEST szansa!

— Ale ten Czarodziej! — zawołał Kaspian.

— Wiem — powiedziała Łucja. — Ale może nie jest taki zły, jak oni mówią. Nie wydaje się wam, że ten ludek nie jest zbyt dzielny?

— Z całą pewnością nie należy do najmądrzejszych — zauważył Eustachy.

— Posłuchaj, Łusiu — rzekł Edmund — naprawdę nie możemy ci na to pozwolić. Zapytaj Ryczypiska, jestem pewien, że powie to samo.

— Ale przecież chcę w ten sposób uratować i swoje własne życie, nie tylko wasze — powiedziała Łucja. —

Wierzcie mi, że tak samo jak wy nie chcę być pocięta na kawałeczki niewidzialnymi mieczami.

– Jej królewska mość ma do tego prawo – odezwał się nagle Ryczypisk. – Gdybyśmy mieli choć najmniejszą szansę obronić JEJ życie w walce, nie byłoby o czym mówić. Nie mamy jednak żadnej szansy. A to, czego od niej żądają, nie jest w żadnej mierze sprzeczne z honorem jej królewskiej mości, przeciwnie, to czyn szlachetny i bohaterski. Jeśli serce królowej każe jej ponieść ryzyko spotkania z Czarodziejem, nie mogę być przeciw temu.

A nikt nigdy nie widział, by Ryczypisk bał się czegokolwiek, mógł więc to powiedzieć, nie czując się ani trochę tchórzem. Chłopcom, którzy bali się dość często, poczerwieniały twarze. W tym, co powiedział Ryczypisk, było jednak tyle oczywistego sensu, że musieli się zgodzić. Kiedy oznajmili o swojej decyzji, niewidzialny lud wzniósł głośne okrzyki zadowolenia. Szef Głosów (popierany gorąco przez Inne Głosy) zaprosił Narnijczyków na kolację. Eustachy nie chciał przyjąć zaproszenia, ale Łucja powiedziała: „Jestem pewna, że nie kryje się za tym żadna zdrada" i wszyscy się zgodzili. I tak, wśród strasznego dudnienia (które stało się jeszcze donośniejsze, kiedy weszli na wyłożony kamiennymi płytami dziedziniec), powrócili do tajemniczego domu.

ROZDZIAŁ 10

Księga Czarodzieja

NIEWIDZIALNY LUD UGOŚCIŁ ICH PO KRÓLEWSKU. Zabawnie wyglądało, kiedy talerze i misy same pojawiały się na stole. Byłoby to zabawne nawet i wtedy, gdyby naczynia wędrowały w powietrzu poziomo, jak każdy by się tego spodziewał. Tymczasem talerze płynęły przez długą salę jadalną, wykonując serię susów lub skoków. W najwyższym punkcie każdego skoku naczynie znajdowało się jakieś cztery metry nad podłogą, po czym opadało, zatrzymując się nagle metr nad nią. Kiedy w takim talerzu znajdowała się zupa lub gulasz, rezultat był raczej katastrofalny.

— Te istoty zaczynają mnie coraz bardziej intrygować — szepnął Eustachy do Edmunda. — Myślisz, że mogą w ogóle przypominać ludzi? Chyba już prędzej jakieś olbrzymie pasikoniki lub żaby.

— Na to wygląda — odpowiedział mu Edmund. — Ale nie wspominaj o tym Łucji. Nie przepada za insektami, zwłaszcza dużymi.

Wieczerza byłaby przyjemniejsza, gdyby jedzenie podawano choć trochę czyściej i porządniej oraz gdyby rozmowa nie ograniczała się do wyrażania zgody na wszystko. Większość uwag niewidzialnych gospodarzy należała do rodzaju tych, z którymi trudno się nie zgodzić, na przykład: „Zawsze mówię, że kiedy ktoś jest głodny, lubi coś zjeść" albo: „Robi się ciemno, zawsze jest tak wieczorem", albo: „Ach, więc przypłynęliście morzem – to bardzo mokra rzecz, nieprawdaż?" A Łucja nie potrafiła się przemóc, by raz po raz nie spoglądać na ziejące ciemnością wejście prowadzące ku schodom na górę – widziała je bardzo dobrze ze swojego miejsca – i nie zastanawiać się, co ją spotka, kiedy następnego ranka będzie musiała po nich wejść. Jedzenie było jednak dobre: zupa pieczarkowa, gotowane kurczaki, gorąca szynka, czerwone porzeczki, twaróg, śmietana, mleko i pitny miód. Narnijczykom smakował miód i tylko Eustachy żałował później, że go pił.

Kiedy następnego ranka Łucja otworzyła oczy, poczuła się tak, jakby się obudziła w dniu egzaminu lub wizyty u dentysty. A poranek był cudowny. Bzyczące pszczoły wpadały i wylatywały przez otwarte okno jej pokoju, a rozległe łąki wyglądały bardzo po angielsku. Wstała, ubrała się i zjadła śniadanie, próbując rozmawiać z innymi, jakby nic nie miało się wydarzyć. Potem wysłuchała instrukcji Szefa Głosów, pożegnała się ze swoimi towarzyszami, bez słowa podeszła do schodów i zaczęła na nie wchodzić, nie oglądając się za siebie.

Z początku doznała ulgi, bo na schodach było całkiem jasno: wprost nad nią, na szczycie pierwszej kondygnacji, widniało okno. Dopóki zbliżała się ku temu oknu, mogła jeszcze słyszeć tik-tak-tik-tak wielkiego starego zegara stojącego w dolnej sali. Potem doszła do półpiętra i musiała skręcić w lewo, by wejść na drugą kondygnację schodów. Teraz nie słychać już było zegara.

Kiedy znalazła się na szczycie schodów, zobaczyła długi, szeroki korytarz z dużym oknem na odległym końcu. Ściany ozdobione były płaskorzeźbami i niską boazerią, a na podłodze leżał dywan. Po obu stronach było wiele uchylonych drzwi. Łucja stała nieruchomo, nasłuchując, ale nie słyszała nic – ani pisku myszy, ani bzyku muchy, ani szelestu kotary – nic, prócz bicia własnego serca.

„Ostatnie drzwi na lewo", powiedziała do siebie. To, że musiały to być właśnie ostatnie drzwi, nie było zbyt przyjemne, bo zdała sobie sprawę, że musi teraz przejść obok każdej z otwartych komnat. W każdej z nich mógł być Czarodziej – śpiący lub przebudzony, niewidzialny lub nawet martwy. Cóż jednak przyjdzie z takich rozważań? Zaczęła iść. Dywan był tak gruby, że całkowicie głuszył jej kroki.

„Jak dotąd, nie widzę tu nic strasznego", pomyślała Łucja. I na pewno był to spokojny, pełen słońca korytarz. Może nawet za spokojny. I byłby przyjemniejszy, gdyby na drzwiach wiodących do komnat nie widniały dziwne znaki namalowane szkarłatną farbą – dziwne, zawiłe i posplatane ornamenty, które z całą pewnością miały jakieś znaczenie, a znaczenie to wcale nie musiało być miłe. Byłby też przyjemniejszy, gdyby nie te maski wiszące na ścianach. Ściśle mówiąc, maski nie były brzydkie – albo może należałoby powiedzieć: nie bardzo brzydkie – ale ich puste oczodoły wyglądały

niesamowicie i gdyby się przestało panować nad sobą, można by bardzo łatwo sobie wyobrazić, że robią różne grymasy za plecami.

Minęła chyba szóste z kolei drzwi, kiedy przestraszyła się po raz pierwszy. Przez chwilę była prawie pewna, że jakaś złośliwa brodata twarzyczka wyskoczyła ze ściany i wykrzywiła się w jej stronę. Łucja zmusiła się, by stanąć i spojrzeć na nią. Nie była to wcale twarz. Było to małe lustro, rozmiarów i kształtu jej własnej twarzy, z włosami na górze i brodą na dole, tak że kiedy się w nie patrzyło, twarz pasowała akurat do włosów i brody. „Po prostu, kiedy mijałam lustro, kątem oka zobaczyłam swoją własną twarz − powiedziała do siebie Łucja. − I to wszystko. Nie ma się czego bać". Ale jej własna twarz z tymi włosami i brodą wcale się jej nie podobała, więc ruszyła dalej. (Nie wiem, do czego służyło to Brodate Lustro, ponieważ nie jestem czarodziejem.)

Zanim doszła wreszcie do ostatnich drzwi po lewej stronie, zaczęła się już zastanawiać, czy korytarz nie wydłużył się od czasu, gdy stanęła u jego progu, i czy nie jest to część czarów tego domu. Ale w końcu doszła do tych drzwi. Były otwarte. Weszła do dużego pokoju z trzema wielkimi oknami. Na wszystkich ścianach były półki z książkami. Łucja nigdy jeszcze nie widziała tylu książek: cienkich i małych, grubych i pękatych. Były tu również księgi większe od największej z Biblii, jakie się widuje w kościołach. Wszystkie oprawione były w skórę i pachniały starością, uczonością i magią. Łucja pamiętała jednak o instrukcjach Szefa Głosów i wiedziała, że nie musi się zajmować żadną z nich. TA księga bowiem, Księga Czarów, leżała na pulpicie w samym środku pokoju. Łucja zdała sobie sprawę, że będzie ją musiała czytać na stojąco (zresztą w pokoju i tak nie było krzeseł) oraz że będzie przy tym zmuszona stać plecami do drzwi. Dlatego od razu odwróciła się, by zamknąć je za sobą.

Drzwi nie chciały się zamknąć.

Zapewne niektórzy z was nie zgodzą się z Łucją co do tego, ale ja myślę, że miała rację. Powiedziała później, że po prostu nie miałaby nic przeciwko temu, by drzwi dały się zamknąć, bo nie jest zbyt przyjemnie stać w miejscu takim jak to, mając otwarte drzwi za plecami. Sam czułbym to samo. Ale nie można było zrobić nic więcej.

Zaniepokoiły ją rozmiary Księgi. Szef Głosów nie był w stanie powiedzieć, gdzie w Księdze należy szukać zaklęcia czyniącego widzialnymi rzeczy niewidzialne. Wydawał się nawet zaskoczony jej pytaniem. Sądził, że trzeba po prostu czytać Księgę od początku aż do miejsca, w którym się to zaklęcie znajdzie, i było oczywiste, że nigdy nawet przez myśl mu nie przeszło, by można było znaleźć coś w książce w inny sposób. „Ale to przecież może trwać całe dni, a może i tygodnie – pomyślała Łucja, patrząc na potężny tom – a ja już teraz czuję się, jakbym była tu od wielu godzin".

Podeszła do pulpitu i dotknęła Księgi. Poczuła mrowienie w palcach, jakby gruby tom naładowany był elektrycznością. Spróbowała go otworzyć, ale napotkała opór. Dopiero po chwili zauważyła dwie ciężkie

anurzanie
rąk w poświacie
księżycowej schwytanej do
srebrnej miednicy

klamry i kiedy je rozpięła, okładka dała się otworzyć
dość łatwo. Ach, cóż to była za Księga!

Litery nie były drukowane, lecz pisane ręcznie czystym, pewnym charakterem. Te linie w literach, które
się zwykle ciągnie od góry w dół, były grube, a te linie,
które się ciągnie z dołu do góry, były cienkie. Litery
były duże, o wiele wyraźniejsze niż druk, i tak piękne,
że Łucja przyglądała się im przez dobrą minutę, zapomniawszy zupełnie o czytaniu. Papier był szeleszczący
i gładki, i pachniał przyjemnie, a na marginesach oraz
naokoło wielkich kolorowych liter na początku każdego zaklęcia były obrazki.

Księga nie miała strony tytułowej (nie było też tytu
łu na okładce). Od razu zaczynała się zaklęciami. Z początku nie było w nich nic specjalnie ważnego. Były
tam magiczne przepisy przeciw kurzajkom (zanurzenie
rąk w poświacie księżycowej schwytanej do srebrnej

miednicy), przeciw bólowi zębów i skurczom, a także na złapanie wyrojonych pszczół. Obrazek przedstawiający człowieka z bolącym zębem był jak żywy, tak że po dłuższym oglądaniu go zęby zaczynały boleć, a złote pszczoły rojące się wokół czwartego zaklęcia wyglądały, jakby naprawdę fruwały w powietrzu.

Łucja z trudem oderwała się od pierwszej strony, ale kiedy ją wreszcie przewróciła, druga okazała się jeszcze bardziej interesująca. „Muszę się jednak pospieszyć", powiedziała sobie i zaczęła szybciej przewracać karty Księgi, z których – gdyby tylko zapamiętała, co czytała – nauczyłaby się, jak znaleźć zakopany skarb, jak przypomnieć sobie to, co się zapomniało, jak zapomnieć o czymś, o czym się chce zapomnieć, jak poznać, czy ktoś mówi prawdę, jak wezwać (lub uciszyć) wiatr, mgłę, śnieg, śnieg z deszczem i sam deszcz, jak sprowadzić na kogoś zachwycające sny i jak zamienić głowę ludzką w łeb osła (jak się to przytrafiło biednemu Spodkowi*). A im dłużej czytała, tym bardziej cudowne i żywe były obrazki.

Po jakichś trzydziestu stronach natrafiła na kartę, z której zajaśniało tyle iluminacji, że trudno było w ogóle dostrzec pismo. Z trudem, ale jednak udało się Łucji zrozumieć sens pierwszych słów. A było tam napisane: Niezrównane zaklęcie, by uczynić ją piękną ponad wszystkie śmiertelne. Łucja wpatrzyła się w obrazki z nosem tuż nad Księgą, a choć przedtem wydawały się jej zbyt małe i stłoczone, by cokolwiek na nich zoba-

---

* Postać z komedii W. Szekspira *Sen nocy letniej* – przyp. tłum.

czyć, teraz widziała je zupełnie dobrze. Pierwszy przedstawiał dziewczynkę stojącą przed pulpitem i czytającą wielką księgę. Dziewczynka ubrana była dokładnie tak jak Łucja. Na drugim obrazku Łucja (ponieważ dziewczynką z obrazków była właśnie ona) stała wyprostowana z otwartymi ustami i trochę niesamowitym wyrazem twarzy, śpiewając coś lub recytując. Na trzecim stała się „piękna ponad wszystkie śmiertelne". I rzecz dziwna: najpierw obrazki były tak małe, że trudno było rozpoznać, co przedstawiają, a teraz Łucja z obrazka wydawała się tak duża jak Łucja prawdziwa; patrzyły sobie w oczy, aż po chwili prawdziwa Łucja odwróciła wzrok, bo tak ją olśniła piękność tej drugiej Łucji, choć oczywiście nadal w tej cudownej twarzy było jakieś podobieństwo do niej samej. A potem obrazki zaczęły szybko się tłoczyć przed jej oczami, jeden po drugim. Zobaczyła siebie samą siedzącą na wysokim podium podczas wielkiego turnieju w Kalormenie, a wszyscy królowie świata walczyli w szrankach z powodu jej piękności. A potem turnieje zmieniły się w prawdziwe wojny. Cała Narnia i Archenlandia, Telmar i Kalormen, Galma i Terebint — wszystkie krainy zostały spustoszone przez wściekłość królów, książąt i baronów, a każdy walczył w obronie jej czci. Potem obraz się zmienił: Łucja — wciąż „piękna ponad wszystkie śmiertelne" — była teraz znowu w Anglii. I Zuzanna (którą cała rodzina zawsze uważała za najpiękniejszą) wróciła z Ameryki. Na obrazku Zuzanna przypominała do złudzenia prawdziwą Zuzannę, tyle że wyglądała trochę bardziej pospolicie i miała paskudną minę. Była zazdrosna o olśniewającą piękność Łucji.

Nie miało to jednak żadnego znaczenia, bo teraz nikt się w ogóle nią nie zajmował.

„Wypowiem to zaklęcie", pomyślała Łucja. „Nic mnie nie obchodzi, zrobię to". Pomyślała „nic mnie nie obchodzi", bo wyraźnie czuła, że nie powinna tego robić.

Ale kiedy spojrzała na pierwsze słowa zaklęcia, tam, gdzie – jak była całkiem pewna – nie było żadnego obrazka, zobaczyła wielki łeb Lwa, TEGO Lwa, samego Aslana, patrzącego wprost na nią. Był namalowany złotą farbą, tak lśniącą, że wydawało się, iż wychodzi ku niej z karty Księgi. Łucja nigdy nie była całkiem pewna, czy w rzeczywistości Lew nie poruszył się lekko. W każdym razie dobrze znała wyraz jego twarzy. Aslan ryczał, ryczał tak, że widziała prawie wszystkie jego zęby. Łucję ogarnęło takie przerażenie, że szybko przewróciła kartę.

Nieco dalej natrafiła na zaklęcie, dzięki któremu można poznać, co myślą o nas nasi przyjaciele. Łucja miała ogromną ochotę na wypróbowanie tamtego pierwszego zaklęcia, tego, które czyni „piękną ponad wszystkie śmiertelne". Poczuła, że aby oderwać się od tej przemożnej ochoty, trzeba wypowiedzieć choćby to drugie zaklęcie, trzeba zrobić wszystko, by przestać myśleć o tamtym. I szybko, bojąc się, że zmieni zdanie, wyrecytowała słowa z Księgi (a nic nie skłoni mnie do tego, by wam powiedzieć, jak to zaklęcie brzmiało). Potem zaczęła czekać, aż coś się stanie.

Ponieważ jednak nic się nie działo, znowu spojrzała na obrazki. I wtedy zobaczyła ostatnią rzecz, jakiej mogła się spodziewać. Zobaczyła przedział wagonu drugiej klasy w jakimś pociągu, a w nim dwie dziewczynki, które poznała od razu. Były to Mariola Preston i Ania Featherstone, jej szkolne koleżanki. Ale teraz obrazek – tak piękny i naturalny – przestał już być tylko obrazkiem. Ożył. Widziała słupy telegraficzne migające za oknem. Widziała dwie dziewczynki śmiejące się i rozmawiające ze sobą. A potem stopniowo (tak jak w radiu, które się nagrzewa), zaczęła słyszeć, o czym one mówią.

– Czy będziemy się choć od czasu do czasu widywały w tym okresie – zapytała Ania – czy też nadal będziesz opanowana przez tę małą Pevensie!

– Nie wiem, o co ci chodzi – odpowiedziała Mariola.

– Dobrze wiesz, o czym mówię – powiedziała Ania. – W zeszłym roku zupełnie zwariowałaś na jej punkcie.

– Mylisz się – rzekła Mariola. – Nie jestem taka głupia, jak myślisz. Oczywiście nie twierdzę, że jest zła, przynajmniej na swój sposób, ale to jeszcze straszny dzieciuch. Pod koniec roku miałam już jej po dziurki w nosie.

– Ty obłudna żmijo! Możesz być pewna, że nie będziesz miała do tego okazji w jakimkolwiek roku! – wrzasnęła Łucja. Ale dźwięk jej własnego głosu natychmiast przypomniał jej, że mówi do obrazka i że prawdziwa Mariola jest daleko stąd, w innym świecie.

– No cóż – powiedziała Łucja do siebie – nie spodziewałam się tego po niej. A tyle dla niej zrobiłam w zeszłym roku! I przyjaźniłam się z nią, chociaż niewiele innych dziewczyn miałoby na to ochotę. A ona o tym wiedziała. I do tego z Anią! Długo musiała szukać. Ciekawa jestem, czy tak samo jest z innymi przyjaźniami. Tu jest jeszcze mnóstwo innych obrazków. Ale nie, nie spojrzę już na żaden z nich. Nie chcę, nie chcę! – I z wielkim wysiłkiem odwróciła stronę, ale nim to się stało, zdążyła na nią kapnąć duża łza.

Na następnej stronie znalazła zaklęcie na odświeżenie ducha. Obrazków było tu mniej, ale były przepiękne. A to, co czytała, przypominało bardziej opowieść niż zaklęcie. Ciągnęło się to przez trzy strony i zanim skończyła, zapomniała w ogóle, że czyta. Przeżywała czytaną opowieść tak, jakby w niej uczestniczyła, a wszystkie obrazki ożyły. Kiedy doszła do końca trzeciej strony, powiedziała sobie: „To najwspanialsza, najmilsza opowieść, jaką kiedykolwiek czytałam czy będę czytać w całym swoim życiu. Och, jakbym chciała ją czytać i czytać, przez dziesięć lat! W każdym razie muszę ją przeczytać jeszcze raz".

Ale w tej chwili zaczęły działać czary magicznej Księgi. Nie można było wrócić do tego, co się już raz przeczytało. W tej Księdze można było odwracać tylko prawe strony.

– To skandal! – zawołała Łucja. – Tak bardzo chciałam przeczytać to jeszcze raz! Trudno, chociaż sobie przypomnę, jak to było na początku. Zaraz... to było o... o... ojej! Wszystko zapomniałam! I nawet ta ostatnia strona robi się biała. To niesamowita książka. Jak mogłam wszystko zapomnieć! To było o kielichu, o mieczu, o drzewie i o zielonym wzgórzu, na pewno. Ale nic więcej nie pamiętam. I co ja teraz zrobię? I nigdy już sobie nie przypomniała. I od tej pory, kiedy Łucja mówi, że jakaś opowieść jest wspaniała, ma na myśli to, że przypomina jej opowieść, którą przeczytała w Księdze Czarów.

Odwróciła kartę i ku swemu zaskoczeniu znalazła stronę, na której nie było żadnych obrazków, za to pierwsze słowa brzmiały: Zaklęcie czyniące widzialnymi rzeczy niewidzialne. Przeczytała formułę dwa razy po cichu, aby się nie pomylić przy jakimś trudnym słowie, po czym wyrecytowała ją na głos. I od razu wiedziała, że czary działają, bo kiedy wypowiedziała ostatnie słowa zaklęcia, duże litery na górze strony zabarwiły się, a na marginesach pojawiły się obrazki. Było to tak, jakby się trzymało nad ogniem papier, na którym wypisano coś Niewidzialnym Atramentem, tylko że zamiast bladych liter koloru soku cytrynowego (a jak pewnie wiecie, sok cytrynowy jest najprostszym Niewidzialnym Atramentem) pojawiały się obrazki barwy złota, błękitu i szkarłatu. Były to bardzo osobliwe obrazki i trafiały się na nich postacie, którym Łucja nie bardzo chciała się przyglądać. A potem pomyślała: „Myślę, że to zaklęcie działa nie tylko na te olbrzymy, ale na wszystko, co niewidzialne. W takim miejscu jak to może być wiele innych rzeczy, których się normalnie nie widzi. I wcale nie jestem pewna, czy chciałabym je wszystkie zobaczyć".

W tej samej chwili usłyszała miękkie, lecz ciężkie kroki na korytarzu za swoimi plecami i oczywiście natychmiast przypomniała sobie, jak mówiono o Czarodzieju, że chodzi boso, nie czyniąc więcej hałasu niż kot. A bez względu na to, kto to mógł być, zawsze lepiej jest odwrócić się, gdy ktoś skrada się za naszymi plecami. I Łucja się odwróciła.

Potem jej twarz rozjaśniła się tak, że przez chwilę wyglądała niemal tak pięknie jak owa druga Łucja z obrazka (choć, oczywiście, sama o tym nie wiedziała), i pobiegła naprzód z wyciągniętymi rękami, z krótkim okrzykiem zachwytu. Bo oto w otwartych drzwiach stał sam Aslan, Lew, największy z Wielkich Królów. Nie był żadną zjawą: był prawdziwy, ciepły, można go było dotknąć. Pozwolił się Łucji całować i wtulić twarz w swą jaśniejącą grzywę. A kiedy usłyszała niski, przywodzący na myśl małe trzęsienie ziemi dźwięk, który narodził się gdzieś w jego wnętrzu, ośmieliła się pomyśleć, że Aslan mruczy.

– Och, Aslanie! – powiedziała. – Kochany jesteś, że przyszedłeś.

– Byłem tu przez cały czas – odpowiedział – ale dopiero ty sprawiłaś, że stałem się widzialny.

– Aslanie! – zawołała Łucja prawie z nutą wyrzutu. – Nie żartuj sobie ze mnie. Jakbym to JA mogła uczynić CIEBIE widzialnym!

– Tak było – rzekł Aslan. – Czy myślisz, że mógłbym nie być posłuszny swoim własnym prawom?

Po chwili milczenia przemówił znowu:

– Moje dziecko, myślę, że podsłuchiwałaś.

– Podsłuchiwałam?

– Słuchałaś tego, co mówiły o tobie twoje koleżanki.

– Ach, o to ci chodzi... Przez myśl mi nie przeszło, żeby to mogło być podsłuchiwanie. Przecież to były czary.

– Podsłuchiwanie innych za pomocą czarów jest takim samym podsłuchiwaniem jak każde inne. I źle osądziłaś swoją przyjaciółkę. Jest chwiejna, ale naprawdę cię lubi. Bała się tamtej starszej koleżanki i powiedziała coś, czego wcale nie chciała powiedzieć.

– Myślę, że już nigdy nie będę mogła zapomnieć o tym, co powiedziała.

– Nie, nie, zapomnisz o tym.

– Och, naprawdę! – zawołała Łucja. – Czy wszystko zepsułam? Czy chcesz powiedzieć, że byłybyśmy nadal przyjaciółkami, gdyby nie to, i to naprawdę bliskimi przyjaciółkami... może przez całe życie... a teraz wszystko stracone...

– Dziecko – powiedział Aslan – czy już kiedyś ci nie mówiłem, że nikt nigdy nie może powiedzieć, CO BY BYŁO GDYBY?

– Tak, Aslanie, mówiłeś mi to. Ale...

– Mów, moja maleńka.

– Czy kiedyś będę mogła przeczytać tę opowieść jeszcze raz, tę, której nie mogę sobie przypomnieć? Czy mi ją kiedyś opowiesz, Aslanie? Och, zrób to, zrób, zrób...

– Tak, opowiem ci ją. Będę ci ją opowiadał przez długie, długie lata. Ale teraz chodźmy. Musimy się spotkać z panem tego domu.

ROZDZIAŁ 11

Łachonogowie są szczęśliwi

ŁUCJA WYSZŁA NA KORYTARZ za Wielkim Lwem i od razu zobaczyła idącego ku nim starca, bosego, w długiej, czerwonej szacie. Jego białe włosy ukoronowane były wieńcem z dębowych liści, broda spływała do pasa i podpierał się dziwną, rzeźbioną laską. Kiedy zobaczył Aslana, skłonił się nisko i powiedział:

– Witaj, panie, w ostatnim z twoich domów.

– Czy miałeś już dość, Koriakinie, rządzenia tak głupimi poddanymi?

– Nie – odpowiedział Czarodziej. – To nie to. Są rzeczywiście bardzo głupi, ale nie ma z nimi wielkich kłopotów. Zacząłem mieć dość wszelkich stworzeń. Czasem chyba tracę cierpliwość. Nie mogę się doczekać dnia, w którym zacznie rządzić nimi mądrość, a nie zwykła magia jak dotąd.

– Wszystko w swoim czasie, Koriakinie – powiedział Aslan.

– Tak, wszystko w swoim właściwym czasie, panie. Czy zamierzasz im się pokazać?

– Nie! – powiedział Lew w czymś w rodzaju półryku, który oznaczał (jak pomyślała Łucja) śmiech. – Myślę, że to by ich za bardzo przestraszyło. Wiele gwiazd zestarzeje się i znajdzie swój odpoczynek na wyspach, zanim twój lud do tego dojrzeje. A dzisiaj, przed zachodem słońca, muszę odwiedzić karła Zuchona, który na zamku Ker-Paravel liczy dni do powrotu swego pana, Kaspiana. Opowiem mu tę historię, Łucjo. Nie miej takiej ponurej miny. Wkrótce spotkamy się znowu.

— Aslanie, proszę cię — powiedziała Łucja — powiedz mi, co u ciebie znaczy „wkrótce"?

— „Wkrótce" może być dla mnie kiedykolwiek — odpowiedział Aslan i nagle zniknął. Łucja została sam na sam z Czarodziejem.

— Odszedł! — powiedział starzec. — Odszedł i czujemy żal, ty i ja. Tak jest zawsze. Nie można go zatrzymać, nie zachowuje się jak OSWOJONY lew. Ale jak ci się podobała moja Księga?

— Niektóre rzeczy bardzo mi się podobały — odpowiedziała Łucja. — Czy przez cały czas wiedziałeś, że tu jestem?

— No cóż, od samego początku, od chwili, kiedy pozwoliłem Patałachom uczynić się niewidzialnymi, wiedziałem, że pojawisz się tutaj, aby ich odczarować. Nie byłem tylko pewien, którego dnia to się stanie. I jakoś specjalnie tego ranka nie czuwałem. Rzecz w tym, że i mnie uczynili niewidzialnym, a kiedy jestem niewidzialny, zawsze chce mi się spać. Łuuuu-aaaa! Znowu mi się ziewnęło! Nie jesteś głodna?

— Chyba trochę jestem — powiedziała Łucja. — Nie mam pojęcia, która może być godzina.

– Chodźmy – rzekł Czarodziej. – „Wkrótce" może oznaczać „kiedykolwiek" u Aslana, ale w moim domu wie się, że wkrótce wybije pierwsza, kiedy się czuje głód. Poprowadził ją korytarzem i otworzył jedne z drzwi. Był tam miły, pełen słońca i kwiatów pokój. Na środku stał stół. Kiedy weszli, nie był nakryty, ale oczywiście należał do zaczarowanych stołów i na jedno słowo starca pojawił się na nim obrus, talerze, szklanki i jedzenie.

– Mam nadzieję, że to jest to, co lubisz – powiedział. – Spróbowałem poczęstować cię jedzeniem bardziej przypominającym to, do czego się przyzwyczaiłaś w swojej ojczyźnie, niż to, co wam ostatnio podano.

– Och, co za wspaniałości! – zawołała Łucja. I rzeczywiście, był tam gorący, jeszcze skwierczący omlet z zielonym groszkiem, kawałek jagnięcia na zimno, truskawkowe lody, lemoniada do popijania i filiżanka czekolady na deser. Sam Czarodziej wypił tylko trochę wina i zjadł kawałek chleba. Łucja przekonała się, że wcale nie trzeba się go bać, i wkrótce gawędziła z nim jak ze starym przyjacielem.

– Kiedy zaklęcie zacznie działać? – zapytała. – Czy Patałachowie staną się widzialni od razu?

– Och tak, już są widzialni. Ale teraz prawdopodobnie wciąż jeszcze śpią. Zawsze koło południa ucinają sobie drzemkę.

– A czy teraz, kiedy już są widzialni, zechcesz zdjąć z nich czar brzydoty? Czy przywrócisz im ich dawny wygląd?

– Hm, to nieco delikatna sprawa – powiedział Czarodziej. – Widzisz, moja kochana, to tylko ONI myślą, że dawniej wyglądali całkiem ładnie. To oni mówią, że zostali zeszpeceni, ale ja bym tak nie powiedział. Wiele osób uznałoby to raczej za zmianę na lepsze.

– Czy są tak okropnie zarozumiali?

– Tak. A w każdym razie zarozumiały jest szef Patałachów i to on zaraził całą resztę.

– Mieliśmy okazję to zauważyć – powiedziała Łucja.

– Tak. I będziemy chyba musieli poradzić sobie w jakiś sposób bez niego. Oczywiście mógłbym zamienić go w coś innego albo nawet zaczarować, żeby reszta nie wierzyła w jego słowa. Ale nie chcę tego robić. Lepiej, żeby podziwiali kogokolwiek, niż żeby nie podziwiali nikogo.

– Czy nie podziwiają CIEBIE? – zapytała Łucja.

– Och nie, MNIE nie – odpowiedział Czarodziej. – Nie sądzę, by mogli MNIE podziwiać.

– A dlaczego właściwie ich oszpeciłeś… to znaczy zrobiłeś z nimi to, co oni nazywają zeszpeceniem?

– Dlatego, że nie robili tego, co im powiedziano. Ich obowiązkiem jest troszczenie się o ogród i uprawa roślin jadalnych. Nie dla mnie, jak sobie wyobrażają, ale dla siebie. Gdybym ich do tego nie zmuszał, w ogóle by tego nie robili. A oczywiście, jeśli ma się ogród, trzeba mieć wodę. Jakieś pół mili stąd, na zboczu wzgórza, jest wspaniałe źródło. I z tego źródła bierze początek strumień, który przepływa dokładnie przez środek ogrodu. Mówiłem im tylko, by brali wodę wprost ze strumienia, zamiast trzy lub cztery razy dziennie wspinać się na wzgórze z wiadrami, a potem wracać, wylewając po drodze połowę wody. Ale oni nie mogli tego zrozumieć. W końcu odmówili tego wprost.

— Czy naprawdę są tacy głupi? — zapytała Łucja.

Czarodziej westchnął ciężko.

— Trudno uwierzyć we wszystkie kłopoty, jakie z nimi miałem. Kilka miesięcy temu uparli się, aby myć talerze i noże przed obiadem: twierdzili, że to im oszczędza później czasu. Przyłapałem ich na tym, jak sadzili gotowane ziemniaki, aby nie trzeba było ich już gotować po wykopaniu. Pewnego dnia kot wpadł do mleczarni i wtedy ze dwudziestu tych osłów natrudziło się co niemiara, wynosząc wszystkie dzieże z mlekiem; nikomu nie przyszło do głowy, aby wyrzucić kota. Ale widzę, że skończyłaś już jeść. Chodźmy i popatrzmy na Patałachów, skoro już można ich zobaczyć.

Przeszli do innego pokoju, zapełnionego takimi lśniącymi, tajemniczymi instrumentami, jak astrolabia, planetaria, chronoskopy, wersometry, chorejobusy i teodolindy, i tutaj, kiedy podeszli do okna, Czarodziej powiedział:

— Oto twoje Patałachy.

— Nikogo nie widzę — powiedziała Łucja. — Ale co to takiego, te grzybowate rzeczy?

Tymi rzeczami, na które wskazywała Łucja, upstrzony był cały trawnik. Rzeczywiście przypominały do złudzenia grzyby, tyle że niezwykłych rozmiarów: trzonki mogły mieć z metr wysokości, tyle samo miały też średnice kapeluszy. Kiedy przyjrzała się im uważnie, zauważyła, że trzonki nie wyrastały ze środka kapeluszy, ale jakoś z boku, co sprawiało wrażenie, jakby grzyby miały się za chwilę przewrócić. Przy każdej nóżce leżało też na trawie coś dziwnego, coś w rodzaju małego tobołka. Im dłużej wpatrywała się w te dziwne rzeczy, tym mniej przypominały grzyby. Kapelusze nie były wcale okrągłe, jak sądziła na początku: były wydłużone i rozszerzające się z jednego końca. I było tego dużo, z pięćdziesiąt sztuk albo i więcej.

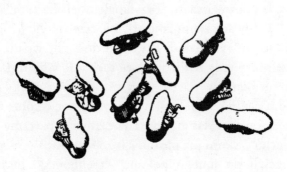

Zegar wybił trzecią.

W tym momencie zdarzyło się coś zupełnie niezwykłego. Każdy z „grzybów" nagle stanął na głowie. Owe małe „tobołki" leżące przy samych trzonkach na trawie okazały się głowami i tułowiami. A same trzonki – nogami. A najdziwniejsze było to, że z każdego tułowia wyrastała tylko jedna noga zakończona jedną olbrzymią stopą z szerokimi, zakrzywionymi nieco do góry palcami, tak że cała stopa przypominała trochę małe czółno. Łucja natychmiast zrozumiała, dlaczego te istoty podobne były przedtem do grzybów. Po prostu każda leżała sobie na plecach z nogą sterczącą w powietrzu; to właśnie owe olbrzymie stopy, widziane z góry, przypominały kapelusze grzybów. Później dowiedziała się, że był to ich zwykły sposób odpoczynku, bo stopy chroniły je przed słońcem i deszczem. Jednonóg leżący pod swoją własną stopą czuje się po prostu jak w namiocie.

– Och, co za śmieszne cudaki! – zawołała Łucja i wybuchnęła śmiechem. – Czy to ty je takimi zrobiłeś?

– Tak, tak, to ja zamieniłem Patałachów w Jednonogi – powiedział Czarodziej. On również zanosił się od śmiechu, aż łzy zaczęły mu ściekać po policzkach. – Ale popatrz tylko!

Było to warte oglądania. Małe, jednonogie ludki nie mogły, oczywiście, chodzić lub biegać tak jak my. Poruszały się skokami, jak pchły lub żaby. I cóż to były za skoki! Jakby każda wielka stopa naszpikowana była sprężynami! A opadały na ziemię z przeraźliwym halasem – to właśnie były te dudniące dźwięki, które tak zadziwiły Łucję poprzedniego dnia. A teraz skakały we wszystkie strony, wykrzykując do siebie:

– Hej, chłopy! Znowu jesteśmy widzialni!

– Tak, jesteśmy widzialni – powiedział jeden z nich w czerwonej czapce z ozdobnym chwostem, najwidoczniej szef Jednonogów. – A powiem wam, że kiedy faceci są widzialni, to mogą się nawzajem widzieć.

– Ach, o to chodzi, o to właśnie chodzi, szefie! – rozległy się krzyki. – W tym rzecz. Nikt nie mógłby tego lepiej ująć. Nie mogłeś tego jaśniej wyłożyć.

– Ta mała przyłapała starego na drzemce – odezwał się znowu szef Jednonogów. – Tym razem zrobiliśmy go na szaro.

– O, to właśnie chcieliśmy powiedzieć! – zabrzmiał zgodny chór głosów. – Dzisiaj jesteś jeszcze lepszy niż kiedykolwiek, szefie. I tak trzymaj, tak trzymaj.

– I oni mają czelność tak się o tobie wyrażać? – zdziwiła się Łucja. – Przecież jeszcze wczoraj strasznie się ciebie bali. Czy nie przyjdzie im do głowy, że możesz to słyszeć?

– To właśnie jest jedna ze śmiesznych cech Patałachów – powiedział Czarodziej. – W jednej chwili mówią tak, jakby dobrze wiedzieli, że zarządzam wszystkim, wszystko słyszę i jestem bardzo groźny. Ale już w następnej chwili są przekonani, że dam się nabrać na jedną z tych sztuczek, którą przejrzałoby nawet dziecko. Trudno w to uwierzyć, ale tak jest.

– Ale czy trzeba koniecznie zmieniać ich z powrotem w to, czym byli przedtem? – zapytała Łucja.

– Och, naprawdę, jestem przekonana, że nie byłoby wcale czymś złym pozostawienie ich takimi, jakimi teraz są. Czy sądzisz, że naprawdę im na tym zależy? Wyglądają na bardzo szczęśliwych. Patrz, co za skok! Jak oni właściwie wyglądali?

– Jak zwykłe małe karły – odpowiedział. – I w dodatku nie tak miłe, jak ten rodzaj, który żyje u was w Narnii.

– Naprawdę, szkoda byłoby przywracać im dawną postać – powiedziała Łucja. – Są tacy śmieszni… i całkiem mili. A może ja spróbuję im to powiedzieć?

– Jestem pewien, że może to coś dać, pod warunkiem że uda ci się wbić im to do głowy.

– Pójdziesz ze mną, żeby spróbować?

– Nie, nie. Beze mnie będziesz miała więcej szans.

– Bardzo dziękuję za obiad – powiedziała Łucja i wybiegła z pokoju. Zleciała pędem po schodach, po których z takim napięciem wspinała się tego ranka, i wpadła na Edmunda stojącego na dole. Byli tu wszyscy i Łucja poczuła wyrzuty sumienia, kiedy zobaczyła ich zaniepokojone twarze, i zdała sobie sprawę, jak długo o nich nie pamiętała.

– Wszystko w porządku! – zawołała. – Wszystko w porządku. Czarodziej jest naszym przyjacielem. I widziałam JEGO… Aslana!

I popędziła zaraz do ogrodu, zostawiając wszystkich z rozdziawionymi ustami. Tu ziemia aż się trzęsła od skoków, a powietrze drżało od okrzyków Jednonogów. I skoki, i okrzyki wzmogły się, kiedy zobaczyli Łucję.

— Idzie! Idzie! — rozległy się wrzaski. — Trzy razy hurra na cześć tej małej. Ach, ale wystrychnęła starego jegomościa na dudka, nie ma co! Ale mu dała szkołę!

— I jest nam niewymownie przykro — dodał szef Jednonogów — że nie możemy ucieszyć twoich oczu naszym prawdziwym wyglądem, tym, jaki mieliśmy przed oszpeceniem, bo nie dałabyś wiary, co za różnica, i taka jest prawda, bo nikt nie zaprzeczy, że jesteśmy teraz śmiertelnie brzydcy, więc nie będziemy ciebie oszukiwać.

— Ech, tacy już jesteśmy, szefie, tacy już jesteśmy — powtórzyli jak echo inni, opadając na ziemię z głośnymi pacnięciami, jak sześć tuzinów dużych gumowych piłek. — Dobrze to powiedziałeś, dobrze to powiedziałeś.

— Ale ja wcale nie uważam, że jesteście brzydcy — powiedziała Łucja, podnosząc głos, żeby być słyszaną. — Uważam, że wyglądacie bardzo ładnie!

— Słuchajcie, co ona mówi, słuchajcie, co ona mówi — wrzasnęli Jednonogowie. — Dobrze mówisz, panienko. Bardzo ładnie wyglądamy. Nie znajdziesz ładniejszych od nas. — W ich głosie nie było żadnego zaskoczenia i nic nie wskazywało, by zauważyli, że nagle zmienili zdanie.

— Ona mówi — stwierdził szef Jednonogów — że wyglądaliśmy bardzo ładnie, zanim nas oszpecono.

— Prawdę mówisz, szefie, prawdę mówisz! — zaśpiewali chórem pozostali. — Tak właśnie powiedziała. Sami słyszeliśmy.

— NIE powiedziałam tego! — zawołała Łucja. — Powiedziałam, że TERAZ jesteście bardzo ładni.

– Tak powiedziała, tak powiedziała – przytaknął szef. – Powiedziała, że byliśmy bardzo ładni.

– Słuchajcie szefa i tej małej, słuchajcie ich! – rozległ się chór. – To ci dopiero para. Zawsze mają rację. Nie mogli tego lepiej ująć.

– Ale przecież każde z nas mówi zupełnie co innego! – zawołała Łucja, tupiąc nogą ze złości.

– Tak jest, tak jest! – zawołali Jednonogowie. – Nie ma nic lepszego, jak coś innego. I tak mówcie, tak mówcie oboje!

– Naprawdę, można z wami zwariować – powiedziała Łucja i dała za wygraną. Ale Jednonogowie sprawiali wrażenie całkowicie zadowolonych i w końcu uznała, że – ogólnie rzecz biorąc – odniosła sukces.

Tego dnia, zanim wszyscy położyli się spać, wydarzyło się coś, co sprawiło, że Jednonogowie jeszcze bardziej polubili swoje obecne kształty. Kaspian i pozostali Narnijczycy wrócili na wybrzeże, aby powiadomić o wszystkim Rinsa i całą załogę. A Jednonogowie towarzyszyli im, skacząc i opadając na ziemię jak piłki futbolowe, a jednocześnie nieustannie głośno zgadzając się ze sobą, aż Eustachy powiedział:

– Wolałbym, żeby Czarodziej uczynił ich niesłyszalnymi zamiast niewidzialnymi.

Później żałował, że to powiedział, bo musiał długo wyjaśniać Jednonogom, że istota niesłyszalna to ktoś, kogo się nie słyszy, i chociaż kosztowało go to wiele trudu, nie był do końca przekonany, czy naprawdę zrozumieli, co miał na myśli, a już szczególnie zmartwiło go, kiedy w końcu powiedzieli:

– Eh, on nie potrafi tak wszystkiego wyłożyć jak szef. Ale nauczysz się, młodzieńcze! Słuchaj uważnie JEGO. On ci pokaże, jak mówić. To jest dla ciebie wzór mówcy!

Kiedy dotarli nad zatokę, Ryczypiskowi wpadł do głowy genialny pomysł. Spuścił na wodę swój kajak ze skóry i dał mały pokaz wiosłowania, czym Jednonogowie strasznie się przejęli i zainteresowali. Potem podniósł się, stanął w swojej łódeczce i powiedział:

– Zacni i roztropni Jednonogowie! Wy nie potrzebujecie żadnych łodzi. Każdy z was ma stopę, która doskonale łódź zastąpi. Po prostu skoczcie tak leciutko, jak potraficie, na wodę i zobaczycie, co się stanie.

Szef Jednonogów zaczął się ociągać i ostrzegać innych, że woda może się okazać bardzo mokra, ale jeden czy dwóch młodzików spróbowało od razu, a za nimi skoczyło kilku następnych i w końcu wszyscy zrobili to samo. Wspaniale to im wychodziło. Olbrzymia stopa Jednonoga działała jak naturalna tratwa lub kajak, a kiedy Ryczypisk pokazał im, jak wyciąć prymitywne wiosła, za chwilę wszyscy wiosłowali po całej zatoce wokół „Wędrowca do Świtu". Wyglądali jak flotylla małych indiańskich łódek z grubym karłem stojącym na rufie każdej z nich. Urządzili sobie wyścigi, ze statku spuszczono kilka butli wina dla zwycięzców, a wszyscy marynarze stali wychyleni za burty okrętu, rycząc ze śmiechu, aż ich brzuchy zaczęły boleć.

Patałachowie byli również zachwyceni swoją nową nazwą – Jednonogów – chociaż nigdy nie udawało im się jej dobrze wymówić. „Oto, czym jesteśmy – wrzeszczeli – Nogajedami, Minogajami, Mnogodajami. To właśnie mieliśmy już na końcu języka. Tak właśnie chcieliśmy o sobie mówić". Ale wkrótce pomieszali obie nazwy – starą i nową – i ostatecznie wyszło z tego „Łachonogowie" i prawdopodobnie tak już będą się nazywać przez całe wieki.

Tego wieczoru wszyscy Narnijczycy byli podejmowani kolacją przez Czarodzieja. Łucja stwierdziła, że górne piętro domu wygląda teraz zupełnie inaczej niż wówczas, gdy z duszą na ramieniu szła po raz pierwszy długim korytarzem. Znaki na drzwiach wyglądały wciąż tajemniczo, ale teraz sprawiały wrażenie, jakby znaczyły coś przyjemnego i pogodnego, a nawet Brodate Lustro było teraz bardziej śmieszne niż przerażające. Na kolację każdy dostał – oczywiście dzięki czarom – to, co lubił najbardziej, a po kolacji Czarodziej zademonstrował im swoje umiejętności w bardzo miły i pożyteczny sposób. Położył na stole dwa arkusze białego pergaminu i poprosił Driniana, by opisał mu dokładnie przebieg ich podróży aż do dziś; i kiedy Drinian mówił, wszystko to, co opisywał, pojawiało się na pergaminie w postaci dokładnych konturów, aż w końcu wyszły z tego dwie wspaniałe mapy Wschodniego Oceanu z Galmą, Terebintem, Siedmioma Wyspami, Samotnymi Wyspami, Wyspą Smoczą, Wyspą Spaloną, Wyspą Śmiertelnej Wody i samą Wyspą Patałachów – wszystko we właściwych proporcjach i na właściwym miejscu. Były to pierwsze w historii mapy tych okolic i żadna z tych, jakie wykonano później bez pomocy magii, nie dorównywała im w dokładności. Choć bowiem miasta i góry wyglądały na pierwszy rzut oka tak jak na zwykłej mapie, to kiedy Czarodziej pożyczył im szkło powiększające, zobaczyli przez nie wszystko tak jak w rzeczywistości, a więc na przykład zamek, targowisko niewolników i wąskie uliczki Narrowhaven, wszystko bardzo wyraźne, chociaż bardzo dalekie, tak jak obraz widziany przez lunetę trzymaną na odwrót. Jedyną słabością tych map było to, że linia brzegowa nie była kompletna: mapa pokazywała tylko to, co Drinian widział na własne oczy. Kiedy obie mapy były gotowe, Czarodziej zatrzymał jedną dla siebie, a drugą podarował Kaspianowi (i do dziś wisi ona w Komnacie Instrumentów na Ker-Paravelu). Ale nawet Czarodziej nie potrafił im powiedzieć nic o morzach leżących dalej na wschód. Powiedział tylko, że około siedmiu lat temu przybił do wyspy narnijski okręt, a na jego pokładzie byli baronowie Revilian, Argoz, Mavramorn i Rup. Doszli więc do wniosku, że złote ciało, które widzieli na dnie Śmiertelnej Wody, musiało należeć do barona Restimata.

Następnego dnia Czarodziej naprawił za pomocą magii rufę „Wędrowca do Świtu" i napełnił statek pożytecznymi darami. Pożegnali się jak bliscy przyjaciele i w końcu, jakieś dwie godziny po południu, odpłynęli. A naokoło statku wiosłowali Łachonogowie, towarzysząc im aż do krańca zatoki i wiwatując głośno aż do czasu, kiedy „Wędrowiec do Świtu" znalazł się już poza zasięgiem ich głosu.

ROZDZIAŁ 12

Ciemna Wyspa

PO TEJ PRZYGODZIE żeglowali przez dwanaście dni na południe z niewielkim odchyleniem wschodnim. Wiatr był łagodny, niebo przeważnie czyste, a powietrze ciepłe. Nie widzieli żadnych ptaków ani ryb, tylko raz, daleko z prawej burty, pojawiło się stadko wielorybów tryskające wysokimi pióropuszami wody. Łucja i Ryczypisk grali całymi dniami w szachy. Wreszcie trzynastego dnia Edmund, który był akurat na marsie, zobaczył z lewej burty coś, co wyglądało na wielką, ciemną górę wyrastającą wprost z morza.

Wzięli kurs na ten ląd, ale zaraz musieli chwycić za wiosła, ponieważ kierunek wiatru nie pozwalał im płynąć pod żaglami na północny wschód. Kiedy zapadł wieczór, znajdowali się wciąż daleko od lądu. Wiosłowali całą noc, a poranek przyniósł pogodę słoneczną, ale i całkowitą ciszę morską. Przed nimi majaczył ciemny masyw, teraz o wiele bliższy i większy, choć wciąż jeszcze zamglony. Niektórzy sądzili, że wyspa jest jeszcze bardzo daleko, podczas gdy inni utrzymywali, że wpływają w strefę mgły.

Około godziny dziewiątej tego rana ciemny kształt ukazał się nagle wyraźnie. Z tej odległości mogli już

stwierdzić, że nie był to wcale ląd albo nawet mgła – przynajmniej w zwykłym znaczeniu tych słów. Była to Ciemność. Nie jest to łatwe do opisania, ale zrozumiecie, co to było, kiedy sobie wyobrazicie, że patrzycie w wylot kolejowego tunelu: tunelu tak długiego albo tak krętego, że nie widać nawet najmniejszego śladu światła z jego drugiego końca. Wiecie też, co się dzieje po wejściu do takiego tunelu. Przez kilka metrów widać dobrze w dziennym świetle szyny, podkłady i żwir, potem jest strefa półcienia, a potem, bardzo szybko, ale oczywiście bez wyraźnej granicy, człowiek zanurza się w gęstej, nieprzeniknionej ciemności. Tak właśnie było tutaj. Kilka metrów przed dziobem wyraźnie widzieli falującą, zielonogranatową wodę. Dalej woda zmieniała kolor na bladoszary jak morze o zmierzchu. A jeszcze dalej zaczynała się całkowita czerń jak bezksiężycowa i bezgwiezdna noc.

Kaspian zawołał do bosmana, aby wydał komendę „wstecz", i wszyscy prócz wioślarzy rzucili się do burt na dziobie, wlepiając oczy w ciemność. Ale nic tam nie było do zobaczenia. Za nimi było morze i słońce, przed nimi – Ciemność.

– Wchodzimy w to? – zapytał w końcu Kaspian.

– Nie radzę tego czynić – powiedział Drinian.

– Kapitan ma rację – odezwało się kilku marynarzy.

– Jestem bliski tego samego zdania – powiedział Edmund.

Łucja i Eustachy milczeli, ale w sercu ucieszyli się z takiego obrotu sprawy. Nagle donośny głos Ryczypiska przerwał przedłużającą się ciszę:

– A dlaczego nie? Czy ktoś może mi wyjaśnić, dlaczego mamy w to nie wpływać?

Nikt nie palił się do wyjaśnień, więc Ryczypisk mówił dalej:

– Gdybym miał do czynienia z wieśniakami lub niewolnikami, mógłbym przypuszczać, że ta rada wynika ze zwykłego tchórzostwa. Ale mam nadzieję, że nigdy nie będą w Narnii opowiadać, jak to dzielna kompania szlachetnie urodzonych królów, książąt, rycerzy i żeglarzy w kwiecie wieku powróciła z wyprawy, bo po prostu przestraszyła się ciemności.

– A jaki właściwie miałby być pożytek z przebijania się przez tę ciemność? – zapytał Drinian.

– Pożytek? – powtórzył Ryczypisk. – Pożytek, kapitanie? Jeśli rozumiesz przez to napełnianie sobie brzucha lub kiesy, muszę wyznać, że nie widzę w tym żadnego pożytku. Do tej pory byłem jednak przekonany, że nie wyruszyliśmy na wyprawę w poszukiwaniu jakichś pożytecznych rzeczy. Mieliśmy na względzie nasz honor i umiłowanie przygód. A tu mamy przed sobą największą przygodę, o jakiej kiedykolwiek słyszałem; tam zaś, jeśli zawrócimy, czeka nas zwątpienie w nasz honor.

Kilku marynarzy zamruczało coś, co brzmiało jak: „Do diabła z honorem", ale Kaspian powiedział:

– A niech cię wiedźma porwie, Ryczypisku, zaczynam prawie żałować, że wzięliśmy cię ze sobą. Dobrze! Jeśli już patrzysz na to w ten sposób, myślę, że nie pozostaje nam nic innego do zrobienia, jak płynąć dalej. Chyba że Łucja jest innego zdania.

Łucja czuła, że jest bardzo innego zdania, ale na głos powiedziała tylko:

— Ja się nie boję.

— Czy wasza wysokość rozkaże przynajmniej zapalić światła? — zwrócił się Drinian do Kaspiana.

— Oczywiście! Zajmij się tym, kapitanie.

Tak więc zapalono trzy latarnie: jedną na rufie, drugą na dziobie, trzecią na topie masztu, a Drinian nakazał jeszcze umieścić dwie pochodnie na środkowym pokładzie. Wszystkim ludziom z wyjątkiem wioślarzy dano rozkaz zajęcia zwykłych stanowisk bojowych na pokładzie, w pełnym rynsztunku i z obnażonymi mieczami. Łucję umieszczono wraz z dwoma łucznikami na marsie, nakazano im być w pełnej gotowości, ze strzałami opartymi na cięciwach. Rynelf stanął na dziobie z liną do sondowania dna. Ryczypisk, Edmund, Eustachy i Kaspian stanęli obok niego w lśniących kolczugach. Drinian ujął ster.

— A teraz, w imię Aslana, naprzód! — zawołał Kaspian. — Tempo wolne, lecz stałe. I niech każdy zachowa spokój i ma uszy otwarte na komendy.

Skrzypiąc i trzeszcząc, „Wędrowiec do Świtu" ruszył powoli naprzód na wiosłach. Z zawieszonego u szczytu masztu marsa Łucja mogła doskonale uchwycić moment, w którym okręt wpełzł w strefę ciemności. Dziób zniknął już w czerni, a rufa jeszcze jaśniała w słońcu. W jednej chwili pozłacana rufa, granatowe morze, niebo były w pełnym świetle — w następnej morze i niebo znikły, a latarnia rufowa (przedtem ledwo widoczna) była jedynym punktem wskazującym na miejsce, w którym okręt się kończył. Przed latarnią majaczyła sylwetka Driniana wspartego na rumplu. W dole światła pochodni tworzyły na pokładzie dwie jasne plamy i pobłyskiwały na mieczach i hełmach; na przedzie widać było jeszcze jedną wyspę światła na pokładzie dziobowym. Łucji wydawało się, że gniazdo marsa, oświetlone lampą masztową wiszącą tuż nad nią, jest odrębnym małym światem unoszącym się w nieprzeniknionej ciemności. A same światła, jak to zwykle bywa ze światłami, kiedy trzeba je zapalić w dzień, wyglądały ponuro i nienaturalnie. Stwierdziła też, że zrobiło się bardzo zimno.

Jak długo trwała ta podróż przez Ciemność, trudno powiedzieć. Gdyby nie miarowe skrzypienie wioseł w dulkach i plusk, z jakim pióra wioseł zanurzały się w wodzie, nic nie wskazywałoby na to, że okręt się porusza. Edmund, wpatrujący się w ciemność z dziobu, nie widział nic prócz odbicia światła latarni w wodzie tuż przed statkiem. Było to jakieś nieprzyjemne, oleiste odbicie, a fala, jaką tworzył rozcinający wodę dziób, wydawała się ociężała, niska i martwa. Wkrótce wszyscy, prócz wioślarzy, zaczęli drżeć z zimna.

Nagle z którejś strony – a nikt teraz nie miał dobrego wyczucia kierunku – rozległ się krzyk. Był to krzyk straszny, musiał go wydać albo nie człowiek, albo ktoś tak śmiertelnie przerażony, że prawie utracił swe człowieczeństwo.

Kaspian wciąż jeszcze nie mógł przemówić – w ustach miał za sucho – gdy dał się słyszeć ostry głos

Ryczypiska, rozlegający się w tej ciszy jeszcze donośniej niż zwykle:

– Kto tam woła? Jeśli jesteś wrogiem, nie boimy się ciebie, a jeśli jesteś przyjacielem, twoi wrogowie wkrótce nauczą się nas bać.

– Litości! – zawył głos. – Litości! Nawet jeśli jesteście tylko jeszcze jednym snem, miejcie litość. Weźcie mnie na pokład. Zabierzcie mnie, choćbyście nawet mieli mnie zabić. W imię wszelkiego miłosierdzia, nie znikajcie i nie zostawiajcie mnie w tym strasznym kraju.

– Gdzie jesteś? – zawołał Kaspian. – Wejdź na pokład i witaj!

Rozległ się jeszcze jeden krzyk, nie wiadomo – radości czy grozy, i usłyszeli, że ktoś ku nim płynie.

– Przygotować się do przyjęcia człowieka zza burty! – zawołał Kaspian.

– Tak jest, wasza wysokość! – odpowiedzieli marynarze.

Kilku marynarzy z linami zgromadziło się przy lewym nadburciu, a jeden, wychylony za burtę, trzymał pochodnię. Z ciemności wyłoniła się dzika, biała twarz. Po kilku chwilach tuzin przyjaznych rąk wciągnął przybysza na pokład.

Edmund pomyślał, że nigdy jeszcze nie widział równie dziko wyglądającego człowieka. Chociaż nie wydawał się zbyt stary, włosy miał siwe, splątane, twarz wychudłą i wykrzywioną, a za odzież służyły mu mokre łachmany. Ale tym, co przede wszystkim przyciągało wzrok, były jego oczy, otwarte tak szeroko, jakby w ogóle nie miały powiek, i wytrzeszczone jakby zastygły w śmiertelnym przerażeniu. Gdy tylko postawił stopy na pokładzie, zawołał:

– Uciekajcie! Uciekajcie! Obróćcie wasz okręt i uciekajcie! Do wioseł, do wioseł, jeśli chcecie uratować życie! Byle dalej od tego przeklętego wybrzeża!

– Weź się w garść – powiedział Ryczypisk – i powiedz nam, o jakim niebezpieczeństwie mówisz. Nie jesteśmy przyzwyczajeni do uciekania.

Przybysz wzdrygnął się na dźwięk głosu myszy, której przedtem nie zauważył, po czym wykrztusił:

– Ale stąd uciekniecie. To wyspa, na której sny stają się prawdą.

– A więc to wyspa, o której marzyłem od dawna! – zawołał jeden z marynarzy. – Jeśli to prawda, to mam nadzieję być żonaty z Anulką, kiedy tam wylądujemy.

– A ja znowu spotkam żywego Toma – powiedział drugi.

– Głupcy! – zawołał przybysz, tupiąc ze złości nogą w pokład. – Właśnie takie brednie przywiodły mnie tutaj i byłoby lepiej, gdybym zatonął lub gdybym się nigdy nie narodził. Czy nie rozumiecie, co wam mówię? To jest miejsce, gdzie sny... sny, czy rozumiecie?... ożywają, stają się rzeczywistością. Nie marzenia... ale sny!

Przez jakieś pół minuty trwało milczenie, a potem ze szczękiem rynsztunku cała załoga rzuciła się do głównego luku, zbiegła pod pokład tak szybko, jak potrafiła, i natychmiast złapała za wiosła. Żadna załoga nigdy jeszcze nie wiosłowała tak równo. Drinian wparł się w rumpel, odwracając dziób statku, a żadne morze nie słyszało jeszcze, by bosman tak szybko podawał tempo wioślarzom. Wystarczyło bowiem każdemu tylko pół minuty, aby przypomnieć sobie pewne sny – sny, po których człowiek boi się usnąć ponownie – i pojąć, co to znaczy wylądować w kraju, gdzie takie sny stają się rzeczywistością.

Tylko Ryczypisk nie ruszył się z miejsca.

– Wasza królewska mość! – zawołał. – Czy zamierzasz tolerować ten bunt, to tchórzostwo? To przecież panika, to sromotna klęska!

– Wiosłować! Wiosłować! – ryczał Kaspian. – Napierać zdrowo, jeśli wam życie miłe! Czy dziób już dobrze ustawiony, Drinianie? Możesz sobie mówić, co chcesz, Ryczypisku, ale są pewne rzeczy, którym żaden człowiek nie stawi czoła.

– A więc mam to szczęście, że nie jestem człowiekiem – odpowiedział Ryczypisk, kłaniając się sztywno.

Łucja słyszała to wszystko z góry. W jednej chwili ten sen, o którym zawsze najbardziej chciała zapomnieć, powrócił do niej tak żywo, jakby się z niego przed chwilą obudziła. A więc właśnie TO było poza nimi, na tej wyspie! Przez moment miała wielką ochotę zejść szybko po drabince na pokład, aby być blisko Edmunda i Kaspiana. Co by to jednak dało? Gdyby sny stały się rzeczywistością, Edmund i Kaspian mogliby zamienić się w coś okropnego, zaledwie by przed nimi stanęła. Ścisnęła mocno poręcz i starała się opanować.

Okręt mknął chyżo na wiosłach ku światłu: powinno się już, już pojawić! Gdyby tylko wszystko działo się tak, jak powinno!

Chociaż szybkie wiosłowanie robiło dość dużo hałasu, nie zagłuszał on całkowicie przeraźliwej ciszy otaczającej okręt. Każdy wiedział, że lepiej nie nasłuchiwać, nie starać się łowić choćby najlżejszego dźwięku dochodzącego z ciemności. Nikt jednak nie mógł się temu oprzeć. I wkrótce każdy zaczął słyszeć. I każdy usłyszał coś innego.

– Czy słyszysz coś takiego, jak... jakby olbrzymie nożyce otwierały się i zamykały za nami? – zapytał Eustachy Rynelfa.

– Ciiiicho! – powiedział Rynelf. – Słyszę ICH! Słyszę, jak wdrapują się na burty.

– O, właśnie sadowią się na maszcie – odezwał się Kaspian.

– Uch! – zawołał nagle jeden z marynarzy. – Już huczą te gongi! Wiedziałem, że tak będzie!

Kaspian, starając się nie rozglądać naokoło (a zwłaszcza nie patrzeć za siebie), poszedł na pokład rufowy do Driniana.

– Kapitanie – powiedział, ściszywszy głos – jak długo wiosłowaliśmy w tej ciemności? To znaczy, do wyłowienia tego nieszczęśnika?

– Jakieś pięć minut – szepnął Drinian. – Dlaczego wasza królewska mość o to pyta?

– Bo płyniemy już o wiele dłużej, starając się z niej wydostać.

Ręka Driniana drgnęła na rumplu, a na czole pojawiły się kropelki potu. Rozmawiali szeptem, ale ta sama myśl przyszła już do głowy wszystkim.

– Nigdy się z tego nie wydostaniemy – lamentowali wioślarze. – On źle steruje. Kręcimy się w kółko. Nigdy z tego nie wyjdziemy.

Rozbitek, który leżał na pokładzie zwinięty w kłębek, usiadł i wybuchnął strasznym, skowyczącym śmiechem.

– Nigdy z tego nie wyjdziemy – wył. – To jest właśnie to! Oczywiście! Nigdy się z tego nie wydostaniemy! Jaki byłem głupi, kiedy myślałem, że mnie wyratują. Nie, nie, nigdy z tego nie wyjdziemy!

Łucja oparła czoło o balustradę otaczającą pokład marsa i wyszeptała:

– Aslanie, Aslanie, jeżeli nas w ogóle kiedykolwiek kochałeś, ześlij nam teraz pomoc!

Ciemności nie rozjaśniły się, ale poczuła się trochę – troszeczkę – lepiej. „Ostatecznie nic się nam jeszcze nie stało" – pomyślała.

– Spójrzcie! – rozległ się od dziobu ochrypły głos Rynelfa.

Przed nimi pojawił się niewielki jasny punkt i kiedy się weń wpatrywali, wystrzelił z niego szeroki snop światła. Nie rozproszył otaczającej ich ciemności, lecz zalał światłem cały okręt, jakby tuż w pobliżu zapłonęła nagle latarnia morska. Kaspian zmrużył oczy, rozejrzał się dookoła i zobaczył twarze swoich towarzyszy – wszystkie jakby zastygłe w dzikim grymasie. Każdy spoglądał w tym samym kierunku, za każdym leżał jego czarny, ostro odcinający się od tła cień.

Łucja wpatrzyła się w płynące ku nim światło i nagle wydało się jej, że widzi w nim jakiś ciemny, ruchomy kształt. Z początku wyglądało to jak krzyż, potem jak samolot, potem pomyślała, że to latawiec, aż wreszcie z łopotem skrzydeł ciemny kształt zbliżył się, a gdy był tuż nad jej głową, poznała, że to albatros. Zatoczył trzykrotnie koło nad masztem, a potem usiadł na grzbiecie pozłacanego smoka na rufie i zakrzyczał mocnym, pięknym głosem coś, co przypominało kilka słów, ale nikt ich nie zrozumiał. Wreszcie rozpostarł skrzydła i wzbił się w powietrze, lecąc teraz powoli przed nimi, nieco z prawej burty. Drinian przesunął rumpel, kierując statek za białym ptakiem, nie wątpiąc ani przez chwilę, że to ich dobry przewodnik. Z wyjątkiem Łucji nikt jednak nie wiedział, że okrążając maszt, albatros szepnął do niej: „Odwagi, kochane serduszko!" A głos – była tego pewna – był głosem Aslana, a wraz z głosem cudowny zapach owionął jej twarz.

Po kilku minutach Ciemność przed nimi zamieniła się w szarość, a potem, zanim jeszcze ośmielili się uwierzyć w ratunek, okręt wystrzelił w pełny blask słońca. Byli znowu w ciepłym, błękitnym świecie. Są takie chwile, kiedy leży się po prostu w łóżku i widzi światło wczesnego poranka wlewające się przez okno, i słyszy wesoły głos listonosza lub mleczarza dobiegający z ulicy, i człowiek już wie, że TO BYŁ TYLKO SEN, ŻE TO NIE BYŁO PRAWDZIWE. I wtedy wszystko jest tak niebiańsko cudowne, że człowiek gotów jest prawie polubić te nocne zjawy tylko dlatego, że po nich następuje owa radość przebudzenia. Tak też czuli się wszyscy na pokładzie „Wędrowca do Świtu", kiedy okręt wynurzył się z Ciemności. Jasność okrętu zdumiała ich: wydawało im się, że Ciemność powinna przylgnąć do bieli, zieleni i złota jak jakiś plugawy brud lub piana.

Nie tracąc ani chwili, Łucja zeszła na pokład, gdzie wszyscy zgromadzili się wokół przybysza. Przez dłuższy czas był zbyt szczęśliwy, by przemówić, i tylko wpatrywał się w morze i słońce, i dotykał balustrad i lin, jakby się chciał upewnić, że nie śni, a wielkie łzy spływały mu po policzkach.

– Dziękuję – powiedział wreszcie. – Uratowaliście mnie z... ale nie chcę o tym mówić. A teraz powiedzcie mi, kim jesteście. Jestem Telmarem z Narnii, a kiedy byłem jeszcze coś wart, nazywano mnie baronem Rupem.

– A ja – powiedział Kaspian – jestem Kaspian, król Narnii. Żegluję, by odnaleźć ciebie i twoich towarzyszy, przyjaciół mojego ojca.

Baron Rup upadł na kolana i ucałował rękę swego króla.

– Panie mój – powiedział – nikogo na całym świecie tak bardzo nie pragnąłem zobaczyć jak ciebie. Wyświadcz mi łaskę.

– O jaką łaskę ci chodzi? – zapytał Kaspian.

– Nigdy nie pytaj mnie i nie pozwól nikomu pytać o to, co widziałem podczas lat spędzonych na Ciemnej Wyspie.

– Nie jest to prośba trudna do spełnienia, baronie – odpowiedział Kaspian, a po chwili dodał, wzdrygając się – PYTAĆ cię! Nawet by mi to do głowy nie przyszło! Oddałbym cały mój skarbiec, aby tego nie posłyszeć.

– Panie – rzekł Drinian – mamy dobry wiatr ku południowemu wschodowi. Czy mam poderwać naszą biedną załogę i postawić żagiel? A potem – każdy, kto nie ma wachty – do hamaku!

– Tak jest – powiedział Kaspian. – I niech podadzą wszystkim grogu. Hej-ho! Czuję, że mógłbym spać całą dobę.

I tak przez całą resztę dnia żeglowali na południowy wschód przy dobrym wietrze, a ponury garb Ciemności za rufą stawał się coraz mniejszy i mniejszy, aż znikł zupełnie. Nikt jednak nie zauważył, kiedy zniknął albatros*.

---

* Zakończenie tego rozdziału uwzględnia zmiany poczynione przez C.S. Lewisa w wydaniu amerykańskim – przyp. tłum.

ROZDZIAŁ 13

Trzej śpiący

CHOĆ WIATR NIE UCICHŁ ZUPEŁNIE, z każdym dniem stawał się coraz bardziej łagodny, aż w końcu głębokie bruzdy fal ustąpiły lekkiemu pofałdowaniu powierzchni morza, po której okręt sunął powoli, godzina za godziną, jakby żeglowali po jeziorze. Każdej nocy widzieli coraz to nowe konstelacje gwiazd wyłaniające się spoza wschodniej części widnokręgu, konstelacje, jakich nigdy nie widzieli w Narnii i których – jak pomyślała sobie Łucja z mieszaniną radości i lęku – chyba nikt jeszcze nie oglądał. Te nowe gwiazdy były wielkie i jasne, a noce bardzo ciepłe. Większość nocowała na pokładzie, prowadząc długie rozmowy lub wpatrując się znad balustrady wieńczącej obie burty w świetlisty taniec morskiej piany wytryskującej spod dziobu.

Nadszedł wreszcie wieczór pełen wstrząsającego piękna, kiedy blask zachodzącego za rufą słońca był tak szkarłatny, tak purpurowy i tak rozległy, jakby samo niebo stało się jeszcze większe niż zawsze. Zobaczyli jakiś ląd z prawej burty, zbliżający się powoli w koronie światła płonącego za jego przylądkami i cyplami, tak że wydawało się, jakby cały stał w ogniu. Wkrótce płynęli już wzdłuż brzegu, a jego zachodni przylądek wznosił się za rufą, czarny i ostry na tle czerwonego nieba, jak wycięty z kartonu. Teraz mogli się już lepiej przyjrzeć nieznanemu lądowi. Nie było tu wysokich gór, lecz tylko wiele łagodnych, wełnistych wzgórz. Dochodził stamtąd miły zapach, który Łucja określiła jako „matowy i purpurowy", co według Edmunda było nonsensem (podobnie myślał Rins, choć tego nie powiedział). Ale Kaspian rzekł tylko: „Wiem, o co jej chodzi".

Płynęli jeszcze dość długo, mijając cypel za cyplem i wciąż mając nadzieję, że znajdą jakąś zaciszną, głęboką przystań, ale w końcu musieli się zadowolić szeroką i płytką zatoką. Chociaż na pełnym morzu było spokojnie, tutaj wielka fala przybojowa załamywała się z hukiem na piasku i nie udało im się podprowadzić statku tak blisko brzegu, jak tego chcieli. Rzucili kotwicę dość daleko od plaży i przeprawiali się łodzią, co okazało się wcale nie takie proste: nie obeszło się bez przemoczenia i siniaków. Na pokładzie „Wędrowca do Świtu" pozostał tylko baron Rup, który nie miał już ochoty na zwiedzanie jakichkolwiek wysp. Przez cały czas pobytu na tej wyspie mieli w uszach huk załamujących się przy brzegu fal przyboju.

Postawiono dwu ludzi na straży przy łodzi i Kaspian poprowadził resztę w głąb lądu, nie zamierzając zresztą iść daleko, bo było już zbyt późno i wkrótce mogło się zrobić ciemno. Nie musieli jednak iść daleko, by spotkać przygodę. W otwierającej się na zatokę płaskiej dolinie nie było widać śladu drogi, ścieżki lub innych oznak bytności ludzi. Szli po miękkim, uginającym się, lekko torfiastym gruncie porośniętym trawą i jakimiś niskimi krzaczkami, które Edmund i Łucja wzięli za wrzos. Eustachy, który w botanice był naprawdę dobry, sprzeciwił się tej opinii. Prawdopodobnie miał rację; było to jednak coś bardzo zbliżonego do wrzosu.

Kiedy odeszli już od łodzi na odległość strzału z łuku, Drinian zawołał nagle:

– Popatrzcie! Co to takiego? – I wszyscy się zatrzymali.

– Może to jakieś wielkie drzewa? – zauważył Kaspian.

– Myślę, że to jakieś wieże – rzekł Eustachy.

– To mogą być olbrzymy – dodał Edmund ściszonym głosem.

– Jedyny sposób, żeby się o tym przekonać, to podejść bliżej – powiedział Ryczypisk, wyciągając rapier i wybiegając do przodu.

– To chyba jakieś ruiny – odezwała się Łucja, kiedy już podeszli nieco bliżej.

Jej przypuszczenie wydało się wszystkim najbliższe prawdy. Zobaczyli szeroką, podłużną przestrzeń wyłożoną kamiennymi płytami i otoczoną szarymi kolumnami, lecz bez dachu. Od jednego do drugiego końca ciągnął się pośrodku długi stół przykryty szkarłatną tkaniną, opadającą prawie do ziemi. Po obu stronach stołu stało wiele kamiennych krzeseł, bogato rzeźbionych i wyłożonych jedwabnymi poduszkami. A sam stół zastawiony był takimi wspaniałościami, jakich nikt nigdy nie oglądał, nawet na dworze Wielkiego Króla Piotra w Ker-Paravelu. Były tam indyki, gęsi i pawie, były całe głowy dzika i połcie sarniny, były pasztety w kształcie okrętów pod żaglami, smoków i słoni, były zimne galaretki, jasnoczerwone homary i połyskliwe łososie, były orzechy i winogrona, ananasy i brzoskwinie, granaty, melony i pomidory. Były tam też złote i srebrne dzbany i misternej roboty szkła, a woń owoców i wina uderzyła w ich nosy jak obietnica wszelkiej szczęśliwości.

– A to ci dopiero! – zawołała Łucja.

Podchodzili bardzo ostrożnie coraz bliżej i bliżej.

– Ale gdzie są goście? – zapytał Eustachy.

– Możemy temu łatwo zaradzić, panie – powiedział Rins.

– Spójrzcie! – rzekł Edmund ostrym głosem.

Byli już teraz między kolumnami, na brzegu kamiennej posadzki. Wszyscy spojrzeli w kierunku, który wskazywał Edmund. Nie wszystkie krzesła okazały się puste. U szczytu stołu oraz na dwu sąsiednich miejscach coś siedziało – albo też ktoś siedział.

– A cóż to takiego? – zapytała Łucja szeptem. – To wygląda jak trzy bobry siedzące na stole.

– Albo jak wielkie gniazdo ptaka – powiedział Edmund.

– Dla mnie to raczej coś takiego jak stóg siana – stwierdził z kolei Kaspian.

Ryczypisk wyrwał się do przodu, wskoczył na jedno z krzeseł, a następnie na stół i pobiegł po nim, balansując zwinnie jak tancerz między drogocennymi kielichami, piramidami owoców i solniczkami z kości słoniowej. Dotarł w ten sposób aż do tajemniczej szarej masy na końcu stołu, obejrzał ją, dotknął i oznajmił:

– Myślę, że oni nie będą walczyć.

Teraz wszyscy podeszli bliżej i zobaczyli, że to, co siedziało na trzech krzesłach, było w istocie trzema mężczyznami, choć trudno było się tego domyślić, jeśli się ich nie obejrzało z bliska. Ich twarze były prawie zupełnie przykryte siwymi włosami wyrastającymi nad czołami, ich brody spływały na stół, przykrywając i oplatając talerze i czary, jak jeżyny oplatają płot, a potem, łącząc się w jedną wielką plątaninę włosów, załamywały się na krawędzi stołu i spływały w dół, aż

na posadzkę. A włosy wyrastające z tyłu głów zwieszały się poprzez oparcia krzeseł, przykrywając je całkowicie. Można powiedzieć, że trzej nieznajomi składali się prawie wyłącznie z włosów.

— Umarli? — zapytał Kaspian.

— Chyba żyją, panie — odpowiedział Ryczypisk, wydobywając czyjąś rękę z plątaniny włosów. — Ta ręka jest ciepła i czuję puls.

— Więc oni tylko śpią? — zapytał Drinian.

– Musi to być jednak bardzo długi sen – zauważył Edmund – skoro wyrosły im takie włosy.

– Muszą być zaczarowani – powiedziała Łucja. – Jak tylko wylądowaliśmy na tej wyspie, wydała mi się pełna czarów. Czy nie uważacie, że musieliśmy się tu znaleźć właśnie po to, aby ich obudzić?

– Trzeba spróbować – rzekł Kaspian i zaczął potrząsać najbliższym z trzech śpiących. Przez chwilę zdawało się, że to skutkuje, ponieważ śpiący odetchnął głęboko i wymamrotał: „Nie płynę dalej na wschód. Na wiosłach do Narnii". Ale wypowiedziawszy te słowa, zapadł od razu w jeszcze głębszy sen niż przedtem: jego ciężka głowa opadła kilka centymetrów niżej i wszystkie próby podniesienia jej po raz drugi spełzły na niczym. Z drugim było to samo. „Nie narodziliśmy się po to, by żyć jak zwierzęta. Płyńmy na wschód, dopóki możemy… lądy poza słońcem…" – i ponownie zapadł w sen. Trzeci zamruczał tylko: „proszę o musztardę" i zasnął twardo.

– Na wiosłach do Narnii, co? – powiedział Drinian.

– Tak – rzekł Kaspian. – Masz rację, Drinianie. Sądzę, że osiągnęliśmy cel naszej podróży. Spójrzmy na ich pierścienie. Tak, to ich godła. To jest baron Revilian. To baron Argoz. A to baron Mavramorn.

– Ale nie możemy ich obudzić – powiedziała Łucja. – Co zrobimy?

– Upraszając łaski waszych wysokości – odezwał się Rins – pragnę tylko zapytać, dlaczego nie mielibyśmy usiąść, kiedy wasze królewskie mości będą nad tym dyskutować? Nie co dzień widzi się taki obiad.

– Nie czyń tego, jeśli ci życie miłe! – zawołał Kaspian.

– Racja, racja – odezwało się kilku marynarzy. – Za dużo tu czarów. Im szybciej wrócimy na pokład, tym lepiej.

– Trzeba się liczyć z tym – rzekł Ryczypisk – że właśnie po spożyciu tego jedzenia trzej baronowie zapadli w siedmioletni sen.

– Nie tknąłbym go, choćbym miał zdechnąć z głodu – rzekł Drinian.

– Robi się ciemno – zauważył Rynelf.

– Wracajmy na pokład, wracajmy na pokład – rozległy się głosy marynarzy.

– Myślę, że oni mają rację – powiedział Edmund.

– Możemy przecież jutro zastanowić się, co zrobimy z tymi trzema śpiącymi baronami. Nie mamy odwagi spróbować tego jedzenia, nie ma też sensu zostawać tu na noc. Pełno tu wszędzie czarów... i niebezpieczeństw.

– Zgadzam się całkowicie z królem Edmundem – rzekł Ryczypisk – jeśli to ma dotyczyć was wszystkich. Bo jeśli chodzi o mnie, to będę siedział przy tym stole aż do świtu.

– Ale dlaczego, na miłość boską? – zapytał Eustachy.

– A dlatego – odpowiedziała mysz – że to wielka przygoda. Żadne niebezpieczeństwo nie wydaje mi się tak groźne, żebym wracał do Narnii ze świadomością, że ze strachu pozostawiłem za sobą nierozwiązaną zagadkę.

– Zostaję z tobą, Ryczypisku – rzekł Edmund.

– I ja też – powiedział Kaspian.

— I ja – dodała Łucja. A po niej zgłosił się na ochotnika i Eustachy. Myślę, że zachował się w tym momencie bardzo dzielnie, bo przecież nigdy ani nie czytał o takich rzeczach, ani o nich nie słyszał, zanim znalazł się na pokładzie „Wędrowca do Świtu". Było mu więc trudniej podjąć tę decyzję niż innym.

— Zaklinam waszą królewską mość... – zaczął Drinian.

— Nie, kapitanie – przerwał mu Kaspian. – Twoje miejsce jest na okręcie, no i pracowałeś cały dzień, kiedy my próżnowaliśmy.

Kapitan długo jeszcze go przekonywał, ale w końcu Kaspian postawił na swoim. Kiedy załoga pomaszerowała w kierunku wybrzeża i znikła w gęstniejącym mroku, każdy z pozostałych – być może prócz jednego Ryczypiska – poczuł jakiś dziwny chłód w brzuchu.

Wybór miejsc przy stole zajął im sporo czasu. Prawdopodobnie każdy myślał o tym samym, lecz nikt tego głośno nie powiedział. Był to bowiem raczej niezbyt przyjemny wybór. Trudno było siedzieć przez całą noc tuż przy tych trzech strasznych postaciach, których — nawet jeśli nie były martwe — z całą pewnością nie można było uznać za żywe w zwykłym znaczeniu tego słowa. Z drugiej strony, siedzieć na drugim końcu stołu i widzieć te postacie coraz słabiej i słabiej w miarę zapadania ciemności, a być może przestać je widzieć zupełnie około drugiej w nocy — nie, strach o tym nawet pomyśleć. Tak więc przechadzali się raz po raz naokoło stołu, mówiąc: „Co myślicie o tych miejscach?" i „A może trochę dalej?" albo „Dlaczego by nie po tamtej stronie?", aż w końcu usiedli gdzieś pośrodku, choć nieco bliżej śpiących niż drugiego końca stołu. Było już koło dziesiątej i zrobiło się prawie zupełnie ciemno. Na wschodzie zapłonęły nowe, nieznane im konstelacje. Łucja czułaby się lepiej, gdyby widziała na niebie swoich starych przyjaciół z narnijskiego nieba – Leoparda i Okręt.

Otulili się żeglarskimi kurtami i czekali, siedząc w milczeniu. Z początku były jakieś próby rozmowy, ale szybko się skończyły. Siedzieli i siedzieli. A przez cały czas słyszeli łoskot fal uderzających o brzeg.

Mijała godzina za godziną, dłużąc się w nieskończoność. Wreszcie nadszedł moment, w którym wszyscy zdali sobie sprawę, że przez chwilę drzemali, a teraz nagle się rozbudzili. Gwiazdy zajmowały zupełnie inne pozycje. Niebo było czarne, z wyjątkiem nikłej szarości nad wschodnią częścią widnokręgu. Było im zimno, chciało im się pić i cali zesztywnieli. I nikt nic nie mówił, ponieważ teraz zaczęło się wreszcie coś dziać.

Przed nimi, poza kolumnami, rozciągało się zbocze niskiego wzgórza. I oto w zboczu otworzyły się drzwi, pojawiło się światło, ktoś wyszedł i drzwi zamknęły się za nim. Postać niosła światło i teraz to światło było wszystkim, co widzieli. Światło było coraz bliżej i bliżej, aż w końcu zatrzymało się przed nimi, po drugiej stronie stołu. Teraz zobaczyli, że była to wysoka dziewczyna, ubrana w długą, niebieską suknię obnażającą ramiona. Dziewczyna była boso, a jej jasne włosy opadały swobodnie na plecy. A kiedy na nią patrzyli, pomyśleli sobie, że do tej pory w ogóle nie mieli pojęcia o tym, co to jest piękność.

Światło padało z długiej świecy osadzonej w srebrnym lichtarzu, który dziewczyna postawiła na stole. Jeśli wcześniej w nocy wiatr wiał od morza, to musiał ucichnąć, bo płomień był tak wysoki i nieruchomy, jakby świeca stała w pokoju o zamkniętych oknach z zasuniętymi zasłonami. Złota i srebrna zastawa zalśniła w jego blasku.

Łucja dostrzegła teraz na stole coś, co przedtem umknęło jej uwadze. Był to kamienny nóż, ostry jak ze stali, o groźnym i starodawnym wyglądzie.

Nikt nie wyrzekł jeszcze ani jednego słowa. Potem – Ryczypisk pierwszy, Kaspian drugi – wszyscy wstali, czując, że mają przed sobą jakąś wielką panią.

– Wędrowcy, którzyście przybyli z daleka do Stołu Aslana – powiedziała dziewczyna – dlaczego nie pijecie i nie jecie?

– Pani – rzekł Kaspian – lękaliśmy się tego jedzenia, ponieważ sądziliśmy, że to przez nie nasi przyjaciele zapadli w zaczarowany sen.

– Nawet go nie skosztowali.

– Powiedz nam – rzekła Łucja – co się z nimi stało?

– Siedem lat temu przybyli tu na okręcie, którego żagle zwisały w strzępach, a drewniane wręgi ledwo się razem trzymały. Byli tam z nimi jeszcze inni, marynarze. Kiedy ci trzej zobaczyli ten stół, jeden z nich powiedział: „Oto jest dobre miejsce. Zwińmy żagle i porzućmy wreszcie wiosła, usiądźmy tutaj i doczekajmy końca naszych dni w spokoju". A drugi powiedział: „Nie, uzupełnijmy tylko zapasy i płyńmy na zachód, do Narnii, może ten Miraz już nie żyje". Ale trzeci, wyglądający na przywykłego do wydawania rozkazów, poderwał się i powiedział: „Nie, na nieba, nie! Jesteśmy mężczyznami i Telmarami, a nie zwierzętami. Cóż możemy robić innego, niż poszukiwać przygody za przygodą? Nie mamy już wiele życia przed sobą. Przeżyjmy to, co nam zostało, na poszukiwaniu bezludnego świata poza słońcem". I kiedy tak spierali się między sobą, ten trzeci chwycił Kamienny Nóż, który leży tu, na tym stole, i był gotów walczyć ze swymi towarzyszami. Ale nie powinien dotykać tej rzeczy. Kiedy zacisnął palce na rękojeści, głęboki sen ogarnął wszystkich trzech. I nie obudzą się, dopóki nie minie czar zaklęcia.

– Czym jest ten Kamienny Nóż? – zapytał Eustachy.

– Czyżby żadne z was go nie znało? – zdziwiła się dziewczyna.

– Ja... ja... wydaje mi się – odezwała się Łucja – że widziałam już coś takiego. Podobny nóż miała w ręku Biała Czarownica, kiedy zabiła Aslana na Kamiennym Stole. To było dawno, dawno temu.

– To ten sam nóż – powiedziała dziewczyna. – Przyniesiono go tu, by spoczywał w czci aż do końca świata.

Teraz odezwał się Edmund, który z każdą chwilą sprawiał wrażenie coraz bardziej niezadowolonego.

– Chciałbym coś powiedzieć. Mam nadzieję, że nie jestem tchórzem... to znaczy nie boję się tego jedzenia... i zapewniam też, że nie chcę okazać braku uprzejmości. W ciągu naszej długiej podróży mieliśmy jednak wiele dziwnych przygód, a wynika z nich, że rzeczy nie zawsze są tym, na co wyglądają. Kiedy patrzę na twoją twarz, trudno mi nie wierzyć w to, co mówisz, ale z drugiej strony byłoby tak samo, gdybyś była czarownicą. Skąd możemy wiedzieć, że naprawdę jesteś naszym przyjacielem?

– Nie możecie tego wiedzieć – odpowiedziała dziewczyna. – Możecie tylko wierzyć – lub nie wierzyć.

Zapadło milczenie, po czym rozległ się cienki głosik Ryczypiska: – Panie mój – rzekł do Kaspiana – bądź tak uprzejmy i nalej mi do czary wina z tego dzbana. Jest za duży i nie mógłbym go sam podnieść. Chcę wypić toast na cześć tej oto pani.

Kaspian uczynił to i Ryczypisk, stojąc na stole, pochwycił złotą czarę swoimi łapkami i powiedział:

– Pani, piję twoje zdrowie. – Wychyliwszy czarę, sięgnął łapczywie po bażanta na zimno i po chwili reszta poszła za jego przykładem. Wszyscy byli bardzo głodni i chociaż nie były to potrawy, które najchętniej jada się na śniadanie, jako późna kolacja smakowały znakomicie.

– Dlaczego to się nazywa Stołem Aslana? – zapytała wreszcie Łucja.

– Ustawiono go tutaj z jego rozkazu – odpowiedziała dziewczyna – dla tych, którzy zdołają dojść aż tak daleko. Niektórzy nazywają tę wyspę Końcem Świata, bo chociaż można żeglować jeszcze dalej, tutaj jest początek końca.

– Ale w jaki sposób to jedzenie jest zawsze świeże? – zapytał praktyczny Eustachy.

– Jest ono codziennie zjadane, a potem się odnawia – powiedziała dziewczyna. – Sami zobaczycie.

— A co mamy począć z tymi śpiącymi? – zapytał Kaspian. — W świecie, z którego pochodzą moi przyjaciele – tu wskazał na Eustachego i rodzeństwo Pevensie – jest taka opowieść o księciu lub królu, który przybył do zamku, gdzie wszyscy spali zaczarowanym snem. W tej opowieści nie mógł on przełamać zaklęcia, dopóki nie pocałował Śpiącej Królewny.

— Tutaj jednak – powiedziała dziewczyna – rzeczy mają się na odwrót. Tutaj książę nie może pocałować królewny, dopóki nie przełamie zaklęcia.

— A więc – rzekł Kaspian – w imię Aslana, powiedz mi, co mam czynić.

— Mój ojciec nauczy cię tego.

— Twój ojciec? – rozległy się głosy wszystkich czworga. — Kim on jest? I gdzie on jest?

— Spójrzcie – odpowiedziała, odwracając się i wskazując na drzwi w zboczu wzgórza. Teraz widzieli je o wiele lepiej, ponieważ kiedy rozmawiali, gwiazdy przybladły, a w szarości wschodniego nieba pojawiły się wielkie plamy bieli.

ROZDZIAŁ 14

Początek Końca Świata

POWOLI DRZWI ZNÓW SIĘ OTWORZYŁY i wyszła z nich jakaś postać, tak wysoka i wyprostowana jak dziewczyna, lecz nie tak szczupła. Postać nie niosła światła, lecz światło wydawało się promieniować z niej samej. Kiedy podeszła bliżej, Łucja zobaczyła dostojnego starca. Z przodu srebrna broda opadała mu do bosych stóp, z tyłu srebrne włosy spływały aż do pięt, a jego długa suknia musiała być zrobiona z runa srebrnej owcy. Wyglądał tak łagodnie i tak dostojnie zarazem, że po raz drugi wszyscy wędrowcy podnieśli się z krzeseł i stali w milczeniu.

Starzec podszedł do nich bez słowa i stanął po drugiej stronie stołu, naprzeciw swej córki. Potem oboje podnieśli ręce, odwrócili się ku wschodowi i zaczęli śpiewać. Chciałbym zapisać tutaj tę pieśń, lecz nikt z obecnych jej nie zapamiętał. Łucja mówiła później, że była to pieśń wzniosła, prawie przerażająca, lecz bardzo piękna. „Był to chłodny rodzaj pieśni, był to wczesnoporanny rodzaj pieśni". I kiedy tych dwoje śpiewało, szare chmury na wschodnim niebie rozwiały się, białe smugi stawały się coraz większe i większe, aż całe niebo pobielało, a morze zaczęło lśnić jak srebro.

A po dłuższym czasie (lecz tych dwoje nie przerwało swej pieśni) niebo na wschodzie poróżowiało i w końcu wynurzyło się z morza nieprzesłonięte chmurami słońce, a jego długi, poziomy promień przeszył całą długość stołu i zapłonął na złocie, na srebrze i na Kamiennym Nożu.

Już raz czy dwa razy przedtem Narnijczycy zastanawiali się, czy na tych morzach wschodzące słońce nie jest większe niż w ich ojczyźnie. Teraz byli tego pewni. Nie mogło to być złudzenie. A jasność jego promieni, załamujących się w kroplach rosy i w zastawie na stole, przewyższała dalece wszystkie poranne jasności, jakie kiedykolwiek widzieli. Jak wyraził to później Edmund, „chociaż wiele rzeczy wydarzyło się w czasie tej wyprawy, które BRZMIĄ bardziej przejmująco, ten moment był naprawdę najbardziej przejmujący". Bo oto teraz byli już pewni, że naprawdę znaleźli się na początku Końca Świata.

A potem wydało się im, że coś wylatuje ku nim z samego środka wschodzącego słońca, ale oczywiście nikt nie był w stanie dłużej patrzeć w tym kierunku, aby się upewnić, czy tak jest w istocie. I nagle powietrze wypełniło się głosami – głosami, które podchwyciły tę samą pieśń, lecz w sposób o wiele bardziej dziki i w języku, którego nikt nie rozumiał. Wkrótce zobaczyli też, skąd te głosy pochodzą. Były to ptaki, wielkie i białe, nadlatujące całymi setkami i tysiącami i siadające na czym tylko się dało: na trawie, na kamiennej posadzce, na stole, na ich ramionach, rękach, głowach, aż wszystko zaczęło wyglądać tak, jakby na ziemię spadł gruby śnieg. I tak jak wówczas, gdy śnieg wszystko przykryje, nie tylko zrobiło się biało, ale i wszystkie kształty zamazały się i wygładziły. Łucja, patrząca spomiędzy skrzydeł ptaków, które ją całkowicie przykryły, ujrzała, jak jeden z nich podfrunął do starca. W dziobie trzymał coś, co przypominało mały owoc lub żarzący się węgielek, bo tak lśniło i jaśniało. I ptak złożył to coś ostrożnie na wargach starca.

Potem ptaki przestały śpiewać i zajęły się czymś na stole. Kiedy się uniosły, ze stołu znikło wszystko, co nie było jeszcze zjedzone lub wypite. Setki, tysiące ptaków frunęło w górę, unosząc ze sobą także to, co nie dało się zjeść lub wypić – kości, skórki i skorupki – i poleciało z powrotem ku wschodzącemu słońcu. Teraz jednak już nie słyszeli śpiewu, lecz tylko łopot tysięcy skrzydeł, aż wszystkim się wydało, że całe powietrze drży i wibruje. Pozostał pusty, czysty stół, przy którym nadal siedzieli trzej narnijscy baronowie, pogrążeni w głębokim śnie.

Dopiero teraz starzec zwrócił się ku wędrowcom i powitał ich.

– Panie – rzekł do niego Kaspian – czy zechcesz nam powiedzieć, jak zdjąć z tych oto trzech narnijskich baronów czar, który sprawia, że nie mogą obudzić się ze snu?

– Chętnie ci to powiem, synu – rzekł starzec. – Aby złamać potęgę tego czaru, musisz popłynąć aż do Końca Świata albo tak blisko Końca Świata, jak tylko to możliwe, i pozostawić tam przynajmniej jednego ze swoich towarzyszy.

— A co się z nim stanie? — zapytał Ryczypisk.

— Będzie musiał wejść w Ostateczny Wschód i nigdy już nie powróci do tego świata.

— Tego właśnie pragnie gorąco moje serce — powiedział Ryczypisk.

— A czy jesteśmy już blisko Końca Świata, panie? — zapytał Kaspian. — Czy wiesz coś o morzach i lądach leżących dalej na wschód niż ta wyspa?

— Widziałem je dawno temu — odpowiedział starzec — ale z bardzo dużej wysokości. Nie mogę ci więc opowiedzieć o tych szczegółach, które interesują żeglarzy.

— Czy to znaczy, że latałeś w powietrzu? — wtrącił Eustachy.

— Byłem daleko, daleko ponad powietrzem, mój synu — odpowiedział starzec. — Jestem Ramandu. Ale widzę, że patrzycie po sobie tak, jakbyście nigdy nie słyszeli tego imienia. I wcale się temu nie dziwię: czas, w którym byłem gwiazdą, przeminął dawno temu, zanim ktokolwiek z was pojawił się na tym świecie. Od tego czasu zmieniły się wszystkie konstelacje.

– Ojej! – zawołał Edmund, wciągnąwszy głęboko powietrze. – On jest EMERYTOWANĄ gwiazdą!

– Czy już nie jesteś gwiazdą? – zapytała Łucja.

– Jestem gwiazdą w stanie spoczynku, moja córko – odpowiedział Ramandu. – Po moim ostatnim wejściu na niebo, zgrzybiałego i postarzałego ponad wszelkie wasze wyobrażenie, przeniesiono mnie na tę wyspę. Byłem wówczas starszy niż dzisiaj. Każdego ranka ptak przynosi mi żar-jagodę z dolin na Słońcu i każda taka żar-jagoda ujmuje mi nieco lat. A kiedy stanę się tak młody jak dziecko urodzone wczoraj, będę mógł znowu wzejść na niebo – jesteśmy bowiem u wschodniego obrzeża Ziemi – i raz jeszcze znaleźć się w wielkim korowodzie.

– W naszym świecie – odezwał się Eustachy – gwiazda jest olbrzymią kulą płonącego gazu.

– Nawet w waszym świecie to, o czym mówisz, mój synu, nie jest gwiazdą, lecz jedynie tym, z czego jest zrobiona. A w tym świecie już raz spotkaliście gwiazdę, bo myślę, że poznaliście Koriakina?

– Czy on też jest gwiazdą w stanie spoczynku? – zapytała Łucja.

– No cóż, nie jest to ścisłe określenie – odpowiedział Ramandu. – Trudno nazwać odpoczynkiem rządzenie Patałachami. Można to raczej nazwać karą. Koriakin mógł świecić jeszcze wiele tysięcy lat na południowym, zimowym niebie, gdyby wszystko szło tak, jak należy.

– Co on takiego uczynił? – zapytał Kaspian.

– Mój synu – rzekł Ramandu – wiedza o tym, jakie błędy może popełnić gwiazda, nie jest przeznaczona dla ciebie, Syna Adama. Ale dajmy temu spokój, nie traćmy czasu na takie rozmowy. Czy już coś postanowiliście? Czy pożeglujecie dalej na wschód i wrócicie, pozostawiając tam jednego z was na zawsze, aby złamać potęgę tego zaklęcia? Czy też może chcecie płynąć na zachód?

– Jestem pewien, panie – rzekł Ryczypisk – że nie może być co do tego żadnych wątpliwości. Wiemy już, że całkiem oczywistą częścią celu naszej wyprawy jest zdjęcie czaru z tych trzech baronów.

– Ja też tak myślę, Ryczypisku – powiedział Kaspian. – A nawet gdyby tak nie było, pękłoby mi serce, gdybyśmy nie znaleźli się tak blisko Końca Świata, jak to tylko będzie możliwe. Myślę jednak o załodze „Wędrowca do Świtu". Zgodziliśmy ich na poszukiwanie siedmiu baronów, a nie na dopłynięcie do widnokręgu. Jeśli pożeglujemy stąd na wschód, to po to, aby znaleźć krawędź świata, ostateczny Wschód. A nikt nie wie, jak daleka droga nas czeka. To dzielni ludzie, ale wydaje mi się, że niektórzy są już zmęczeni podróżą i wypatrują chwili, w której dziób okrętu zostanie zwrócony ku Narnii. Myślę, że nie powinienem zabierać ich w dalszą podróż bez ich wiedzy i zgody. No, i jest jeszcze ten biedny baron Rup. To człowiek całkowicie załamany.

– Mój synu – powiedziała gwiazda – nie byłoby żadnego sensu, nawet gdybyś tego chciał, w żeglowaniu do Końca Świata z ludźmi, którzy tego nie chcą albo którzy zostali oszukani. W ten sposób nie łamie się potęgi wielkich zaklęć. Oni muszą wiedzieć, dokąd i dlaczego płyną. Ale kim jest ten załamany człowiek, o którym mówisz?

Kaspian opowiedział mu historię barona Rupa.

– Mogę mu dać to, czego mu najbardziej potrzeba – rzekł Ramandu. – Na tej wyspie można zapaść w sen bez granic i miary, w sen, w którym nigdy nie usłyszy się nawet najcichszego stąpania sennych marzeń. Niech usiądzie obok tych trzech i pije z czary zapomnienia aż do waszego powrotu.

– Och, zróbmy tak, Kaspianie! – zawołała Łucja. – Jestem pewna, że to by mu się bardzo podobało.

W tym momencie przerwał im odgłos wielu kroków i głosy: to zbliżał się Drinian na czele załogi. Wszyscy stanęli jak wryci, zaskoczeni widokiem Ramandu i jego córki, a potem odkryli głowy, jako że byli bystrymi ludźmi, którym nie trzeba było wiele wyjaśniać. Ten i ów popatrzył z żalem na puste talerze i dzbany.

– Mój panie – rzekł król do Driniana – wyślij dwóch ludzi z powrotem na okręt z wieścią dla barona Rupa. Niech mu powiedzą, że są tutaj jego towarzysze pogrążeni we śnie – we śnie bez snów – i że on też się może do nich przyłączyć.

Kiedy to uczyniono, Kaspian kazał wszystkim usiąść i wyjaśnił im całą sytuację. Gdy skończył, zapadła długa cisza przerywana od czasu do czasu szeptami, a potem powstał dowódca łuczników i powiedział:

– Jest pewna sprawa, wasza królewska mość, o której część z nas już od dawna chciała pomówić. Chodzi nam o to, w jaki sposób w ogóle powrócimy do domu, kiedy już skierujemy nasz okręt ku Narnii, obojętnie, czy to zrobimy tutaj, czy w jakimś innym miejscu. Przez cały czas mieliśmy zachodni lub północno-zachodni wiatr, nie licząc rzadkich okresów ciszy. A jeśli się to nie zmieni, to chciałbym wiedzieć, jaką możemy mieć nadzieję, że znowu zobaczymy Narnię. Nie można chyba liczyć na to, że starczy nam zapasów, gdybyśmy chcieli WIOSŁOWAĆ przez całą drogę.

– To jest mowa szczura lądowego – powiedział Drinian. – Na tych morzach zwykle przez całe lato wieją zachodnie wiatry, ale zawsze zmienia się to po Nowym Roku. Będziemy mieć dużo dobrego wiatru do żeglowania na zachód, obawiam się nawet, że będziemy go mieć więcej niż potrzeba, jeśli wierzyć wszystkim relacjom.

– To prawda, panie – odezwał się jeden ze starszych marynarzy, Galmijczyk z urodzenia. – W styczniu i w lutym parszywa pogoda zawsze przychodzi ze wschodu. I jeśli wolno mi coś rzec, panie, to gdybym ja był kapitanem tego statku, zarządziłbym przezimowanie tutaj i wyruszenie w drogę powrotną w marcu.

– Co się tu zwykle jada podczas zimy? – zapytał Eustachy.

– Ten oto stół – rzekł Ramandu – będzie codziennie o zachodzie słońca zastawiany królewską ucztą.

– O, teraz dobrze mówi! – rozległy się głosy kilku marynarzy.

– Wasze wysokości, szlachetni panowie i wszystkie panie! – odezwał się Rynelf. – Chciałbym powiedzieć tylko jedno. Nie ma tu wśród nas nikogo, kogo by zmuszano do tej wyprawy. Jesteśmy ochotnikami. I są tu tacy, którzy wlepiają teraz gały w ten stół i marzą o królewskich ucztach, a którzy głośno rozprawiali o przygodach, kiedyśmy opuszczali Ker-Paravel, i którzy przysięgali, że nie wrócą do domu, dopóki nie znajdziemy Końca Świata. A byli też tacy, co stali na nabrzeżu i oddaliby wszystko, co mają, byleby tylko wyruszyć wraz z nami. Uważano wtedy, że lepiej dostać koję chłopca okrętowego na „Wędrowcu do Świtu" niż pas rycerski. Nie wiem, czy już się połapaliście, o co mi chodzi? A chodzi mi o to, takie jest przynajmniej moje zdanie, że jeśli już wyruszyliśmy na tę wyprawę, to będziemy wyglądać tak głupio, jak… jak te Łachonogi, jeśli wrócimy do domu i powiemy, że dotarliśmy aż do początku Końca Świata i nie mieliśmy już serca, by płynąć dalej.

Część marynarzy zaczęła wiwatować, ale pozostali dali do zrozumienia, że nie widzą w tym nic głupiego.

– Robi się niewesoło – szepnął Edmund do Kaspiana. – Co zrobimy, jeśli połowa tych typów uprze się, by wracać?

– Poczekaj – odszepnął mu Kaspian. – Mam jeszcze jedną kartę w zanadrzu.

– A ty nie zamierzasz zabrać głosu, Ryczypisku? – spytała cicho Łucja.

– Nie. Czemu wasza królewska mość oczekuje tego ode mnie? – odpowiedział Ryczypisk tak głośno, że prawie wszyscy go usłyszeli. – Ja już postanowiłem. Jeśli będę mógł, popłynę na wschód na pokładzie „Wędrowca do Świtu". Jeśli sprawicie mi zawód, powiosłuję na wschód w moim czółnie. Jeśli czółno zatonie, popłynę na wschód za pomocą moich czterech łap. A kiedy nie będę już w stanie płynąć dalej, jeśli nie dotrę do krainy Aslana lub jeśli jakiś niezmierzony wodospad wyrzuci mnie gdzieś poza krawędź świata, zatonę z nosem zwróconym tam, gdzie wschodzi słońce, i wówczas Pipisek stanie się głową mówiących myszy w Narnii.

– Słuchajcie go, słuchajcie – odezwał się jeden z marynarzy. – Powiedziałbym to samo, z wyjątkiem tego kawałka o czółnie, które jest dla mnie za małe. – I dodał, ściszając głos: – Nie będę przecież gorszy od myszy.

W tym momencie Kaspian zerwał się na nogi.

– Przyjaciele! – powiedział. – Myślę, że nie zrozumieliście dobrze, o co nam chodzi. Mówicie tak, jakbyśmy przyszli do was z kapeluszem w ręku, błagając o pomoc w żeglarskim rzemiośle. Rzecz ma się zupełnie inaczej. My i nasz królewski brat oraz siostra, i ich krewniak, i pan Ryczypisk, dzielny rycerz, i lord Drinian mamy do załatwienia pewną sprawę na krańcu świata. Jest naszym życzeniem wybrać tych spośród was, którzy tego pragną, takich, których uznamy za godnych tak wielkiego przedsięwzięcia. Nie powiedzieliśmy wcale, że może pójść każdy, kto się zgłosi! Dlatego właśnie nakazujemy lordowi Drinianowi i jego matowi Rinsowi, by rozważyli starannie, którzy spośród was są najtwardsi w boju, najzręczniejsi w żeglarskim kunszcie, najlepszego pochodzenia, najbardziej oddani naszej osobie, najszlachetniejsi i najbardziej obyczajni. Imiona tych wybranych chcemy mieć przedstawione na specjalnej liście.

Tu Kaspian zamilkł na chwilę, po czym mówił dalej, teraz już nieco szybciej:

– Na grzywę Aslana! Czy naprawdę myślicie, że przywilej ujrzenia ostatecznych rzeczy można nabyć za cenę zaśpiewania piosenki? Powiadam wam, każdy mężczyzna, który pójdzie z nami, obdarzony zostanie tytułem Wędrowca do Świtu dożywotnio i z prawem dziedziczenia przez wszystkich jego potomków, a kiedy znajdziemy się w Ker-Paravelu, otrzyma tyle złota i ziemi, że starczy mu, by resztę swego życia spędzić w dostatku. A teraz możecie się wszyscy rozejść. Wszyscy! Za pół godziny chcę mieć listę z imionami tych, których wybierze spośród ochotników lord Drinian.

Wśród załogi zapanowała cisza, a potem wszyscy skłonili się i rozeszli w różne strony małymi grupkami, rozprawiając między sobą.

– A teraz zajmiemy się baronem Rupem – oznajmił Kaspian.

Ale kiedy zwrócił się ku szczytowi stołu, zobaczył, że Rup już tam jest. Przybył, milczący i niezauważony, podczas gdy trwała dyskusja, i został posadzony obok barona Argoza. Za jego krzesłem stała córka Ramandu, jakby właśnie pomogła mu usiąść, obok stał sam

Ramandu, trzymając obie ręce na jego głowie. Nawet w pełnym świetle dnia widać było słabą srebrną poświatę otaczającą ręce gwiazdy. Na wychudłej twarzy barona pojawił się uśmiech. Wyciągnął jedną rękę do Łucji, drugą do Kaspiana. Przez chwilę zdawało się, że chce coś powiedzieć. Potem jego twarz rozjaśnił jeszcze większy uśmiech, jakby spotkało go coś cudownego, z jego ust wydobyło się długie westchnienie zadowolenia, głowa mu opadła do przodu i pogrążył się w głębokim śnie.

– Biedny Rup – powiedziała Łucja. – Cieszę się, że wreszcie odpocznie. Musiał przeżyć straszne rzeczy.

– Lepiej o tym nawet nie myśleć – rzekł Eustachy.

Tymczasem mowa Kaspiana, wspomagana być może czarami tej wyspy, zaczęła odnosić skutek, o jaki mu chodziło. Większość z tych, którzy byli tak bardzo przeciwni dalszej podróży, poczuła coś zupełnie odwrotnego, gdy okazało się, że mają być z niej WYKLUCZENI. No i, rzecz jasna, gdy tylko jakiś marynarz oświadczał, że postanowił prosić o pozwolenie na uczestnictwo w dalszej wyprawie, ci, którzy dotąd tego nie oświadczyli, widzieli, że jest ich coraz mniej i że ich sytuacja staje się coraz bardziej przykra. Tak więc, nim minęło pół godziny, spora liczba marynarzy „podlizywała się" Drinianowi i Rinsowi (tak przynajmniej mówiło się o podobnych zabiegach w mojej szkole), aby otrzymać dobrą ocenę. Wkrótce tylko trzej nie chcieli jechać dalej i stawali na głowie, aby namówić innych do pozostania z nimi na wyspie. Po paru minutach został już tylko jeden. A w końcu

i on przestraszył się, że zostanie sam, gdy wszyscy od-
płyną, i też zmienił zdanie.

Kiedy upłynął wyznaczony czas, wszyscy powrócili
w jednej dużej grupie do Stołu Aslana i stanęli przy jego
końcu, a Drinian i Rins usiedli obok Kaspiana i przed-
stawili mu swój raport. Kaspian przyjął wszystkich,
prócz tego jednego, który zmienił zdanie w ostatniej
chwili. Nazywał się Politowanes i pozostał na Wyspie
Gwiazdy przez cały czas, gdy inni wyruszyli na poszukiwanie Końca Świata. Nie należał do ludzi, którzy
potrafiliby cieszyć się okazją długich rozmów z Ramandu i jego córką (zresztą i oni nie widzieli w tym
nic szczególnie pociągającego). Przez cały ten czas często padało, a chociaż co wieczór Stół był zastawiony
wspaniałą ucztą, jakoś nie potrafił się nią rozkoszować.
Opowiadał później, że skóra mu cierpła, gdy siedział
tak samotnie (bez względu na to, czy był deszcz, czy
nie) z tymi czterema śpiącymi baronami przy końcu
Stołu. A kiedy „Wędrowiec do Świtu" powrócił, Politowanes poczuł się tak kiepsko, że w czasie rejsu do
Narnii opuścił okręt na Samotnych Wyspach, a potem
osiadł w Kalormenie, gdzie opowiadał cuda o swoich
przygodach na Końcu Świata, aż wreszcie sam w nie
uwierzył. Można więc powiedzieć, w pewnym sensie,
że żył później szczęśliwie. Nie mógł tylko znieść widoku myszy.

Tej nocy wszyscy jedli i pili przy wielkim Stole między kolumnami, na którym – dzięki czarom – znowu
pojawiła się królewska uczta. Następnego ranka, gdy

wielkie białe ptaki przyleciały do Stołu Aslana, „Wędrowiec do Świtu" rozwinął żagiel raz jeszcze.

— Pani – rzekł Kaspian – zabieram ze sobą nadzieję, że kiedy już przełamię czar tego zaklęcia, znowu cię spotkam.

A córka Ramandu popatrzyła na niego i słodko się uśmiechnęła.

ROZDZIAŁ 15

Dziwy Ostatniego Morza

GDY TYLKO KRAINA RAMANDU zniknęła im z oczu, poczuli, że znajdują się już na samym krańcu świata. Wszystko tu było inne. Przede wszystkim każdy zauważył, że potrzebuje teraz mniej snu. Nikomu nie chciało się ani spać, ani jeść, ani nawet rozmawiać, a kiedy rozmawiali, mówili przyciszonym głosem. Coś dziwnego działo się też ze światłem. Było go zbyt wiele. Wschodzące słońce wyglądało na dwa, może nawet trzy razy większe niż zwykle. I każdego ranka (a w Łucji to właśnie wywoływało najbardziej przejmujące wrażenie) białe ptaki śpiewające ludzkimi głosami w języku, którego nikt nie rozumiał, przelewały się łopoczącym strumieniem nad ich głowami i nikły za rufą, lecąc na śniadanie do Stołu Aslana. Nieco później powracały i ginęły we wschodniej części nieboskłonu.

– Jaka tu cudownie czysta woda – powiedziała do siebie Łucja, wychylając się za prawą burtę. Było wczesne popołudnie drugiego dnia rejsu.

Woda była rzeczywiście nadzwyczaj czysta. Pierwszą rzeczą, jaką Łucja zauważyła, okazał się nieduży, czarny przedmiot płynący przy statku z tą samą co on prędkością. Przez chwilę myślała, że to coś unosi się na powierzchni morza. Ale akurat kucharz wyrzucił przez okno kawałek suchego chleba, który wpadł do morza. Wydawało się że chleb już-już zderzy się z ową czarną rzeczą, gdy przepłynął sobie po prostu nad nią. Teraz Łucja zrozumiała, że dziwny przedmiot wcale nie unosi się na powierzchni. A potem nagle zrobił się bardzo duży, by po chwili skurczyć się do poprzednich rozmiarów.

Łucja miała wrażenie, że gdzieś już coś takiego widziała – gdyby tylko mogła sobie przypomnieć gdzie! Ścisnęła ręką czoło, wykrzywiła twarz, a nawet wysunęła język; i w końcu – udało się! Oczywiście! Coś podobnego widzi się z pociągu w jasny, słoneczny dzień. Widzi się czarny cień swojego wagonu biegnący przez pola z tą samą prędkością co pociąg. Potem pociąg wjeżdża w wykop i nagle ten sam cień pojawia się tuż przed nami, o wiele większy niż przedtem, biegnąc teraz po trawie porastającej strome zbocze wykopu. A potem wyjeżdża się z wykopu i – trzask-prask! – cień znowu powraca do swoich zwykłych wymiarów.

– To jest nasz cień! Cień „Wędrowca do Świtu"! – powiedziała do siebie Łucja. – Nasz cień biegnący po dnie morza. Robi się większy, kiedy napotyka podwodne wzniesienie. Ale to przecież oznacza, że woda jest jeszcze bardziej czysta, niż myślałam. Wielkie nieba, przecież ja widzę dno morza, wiele sążni* pod nami!

Gdy to powiedziała, uświadomiła sobie, że te wielkie srebrne obszary to w rzeczywistości piasek pokry-

---

* Sążeń – 182,9 cm, jednostka głębokości – przyp. tłum.

wający morskie dno, a różne rodzaje ciemniejszych lub jaśniejszych plam to wcale nie cienie i odblask słońca na powierzchni morza, lecz różne rzeczy na jego dnie. Teraz, na przykład, przepływali nad masą delikatnej purpury i zieleni, z szerokim wijącym się przez jej środek pasem bladej szarości. Ale teraz wiedziała już, że patrzy na morskie dno, i widziała wszystko o wiele dokładniej. Spostrzegła, że ciemne plamy wznoszą się wysoko i łagodnie falują. „Jak drzewa na wietrze. I naprawdę, to jest właśnie to. Podmorskie lasy".

A teraz bladoszara smuga połączyła się z inną bladoszarą smugą. „Gdybym znalazła się tam, w dole – pomyślała Łucja – ta smuga byłaby chyba leśną drogą. A to miejsce, w którym dwie smugi się łączą, byłoby skrzyżowaniem dróg. Och, jakbym chciała tam być! Hej! Las się kończy. Naprawdę, ta smuga to droga! Widzę, jak dalej biegnie po nagim piasku. Ma inny kolor. A na jej krawędziach widać coś… jakieś przerywane linie. Może to kamienie. A teraz robi się coraz szersza".

Lecz w rzeczywistości droga wcale nie stawała się szersza – po prostu się przybliżała. Łucja zrozumiała to, gdy zobaczyła, jak przybliża się ku niej cień statku. A droga – teraz już była pewna, że to droga – zaczęła się wić serpentynami. Było jasne, że wspina się na strome zbocze. A kiedy Łucja odwróciła głowę i spojrzała wstecz, zobaczyła coś, co przypominało widok ze szczytu wzgórza na wijącą się w dole drogę. Widziała nawet smugi słonecznego światła przebijające się przez głęboką wodę aż do zalesionej doliny. A dalej, dalej wszystko zlewało się w jedną zamazaną, zieloną masę. Tylko niektóre miejsca – tam, gdzie docierało słońce – miały barwę czystej ultramaryny.

Nie mogła jednak poświęcić zbyt dużo czasu na patrzenie wstecz; to, co pojawiło się z przodu, było również fascynujące. Podmorska droga wspięła się już na sam szczyt wzgórza i biegła dalej prosto. Poruszały się na niej małe plamki. A teraz, w pełnym świetle słońca – a w każdym razie na tyle pełnym, tak jak to jest możliwe po przebiciu się jego promieni przez całe sążnie wody – pojawiło się coś najbardziej cudownego. Było to coś guzowatego i poszczerbionego, koloru pereł lub może raczej kości słoniowej. Okręt znajdował się prawie dokładnie nad tym, tak że z początku Łucja nie mogła pojąć, co to właściwie jest. Ale słońce świeciło spoza jej pleców i po chwili dostrzegła cienie owych dziwnych rzeczy kładące się za nimi na piasku. I kształty tych cieni pomogły Łucji zrozumieć, na co patrzy. Były to cienie wieżyc i wieżyczek, minaretów i kopuł.

– Ależ to jest miasto albo jakiś olbrzymi zamek! – zawołała Łucja. – Ciekawa jestem, dlaczego zbudowano to na szczycie wysokiej góry.

Kiedy już powróciła do Anglii i rozmawiała o tych przygodach z Edmundem, zastanawiali się nad tym razem, i jestem przekonany, że to, co wymyślili, było całkiem do rzeczy. W morzu jest tym ciemniej i zimniej, im głębiej, a w najdalszych i najzimniejszych głębiach żyją groźne istoty – kałamarnica, wąż morski i Kraken. Podmorskie doliny to miejsca dzikie i niebezpieczne.

Lud Morza myśli o swoich dolinach to, co my myślimy o górach, a o swoich górach to, co my myślimy o dolinach. Ciepło i spokój panują na wzniesieniach (lub, jak my byśmy powiedzieli, na płyciznach). Nieustraszeni myśliwi i rycerze morza wyruszają w głębiny na wyprawy i poszukiwanie przygód, lecz wracają do domu na podwodne wzniesienia, znajdując tam odpoczynek i spokój, uprzejmość i radę, gry sportowe, tańce i pieśni.

Okręt przepłynął nad miastem, lecz dno morskie wciąż się podnosiło. Teraz było pod nimi zaledwie kilka stóp* wody. Droga gdzieś zniknęła. Płynęli nad czymś, co przypominało rozległy park z zagajnikami jaskrawokolorowych roślin. A potem – Łucja niemal krzyknęła z wrażenia – zobaczyła Morskich Ludzi.

Było ich z piętnastu lub dwudziestu i wszyscy dosiadali koni morskich – nie małych koników morskich, jakie można sobie obejrzeć w muzeach, lecz koni większych od nich samych. Musieli to być jacyś szlachetnie urodzeni panowie, pomyślała Łucja, ponieważ dostrzegła błysk złota na ich czołach oraz szmaragdowe i pomarańczowe festony tkaniny unoszonej z ich ramion przez prąd. A potem...

– A niechże ośmiornica pochłonie te ryby! – zawołała Łucja, ponieważ nagle cała ławica małych, tłustych rybek nadpłynęła tuż pod powierzchnię morza i przesłoniła jej Morskich Ludzi. Nagle zobaczyła coś

---

* Stopa – 0,3 metra – miara używana jest do dziś na angielskich mapach morskich do określania niewielkich odległości i głębokości – przyp. tłum.

jeszcze ciekawszego. Jakaś niewielka, groźnie wyglądająca ryba, jakiej nigdy jeszcze nie widziała, wystrzeliła od dna, miotając się błyskawicznie tu i tam i kłapiąc zębami, po czym powróciła w dół z jedną tłustą rybką w pyszczku. A Morscy Ludzie na koniach patrzyli w górę na to wszystko, śmiejąc się i rozmawiając. Zanim jeszcze ta myśliwska rybka powróciła do nich ze swoją zdobyczą, pojawiła się druga, podobna, i tak samo zaatakowała ławicę ryb. Łucja była teraz prawie zupełnie pewna, że wysłał ją – lub uwolnił – jeden z Morskich Ludzi, wysoki, siedzący na swym koniu pośrodku całej kompanii. Wyglądało na to, że wypuścił rybkę, którą przedtem trzymał w ręku lub na przedramieniu.

– Niech mnie gęś kopnie, jeśli to nie jest polowanie – powiedziała Łucja. – Albo raczej polowanie z sokołem. Tak, to jest to. Jadą sobie konno z tymi dzikimi rybkami na przedramieniu, tak jak my jeździliśmy konno z sokołami siedzącymi na przegubach rąk, kiedy byliśmy królami i królowymi na Ker-Paravelu... dawno, dawno temu. A potem wypuszczają je na inne ryby. Jak...

Lecz nagle urwała, bo scena się zmieniła, Morscy Ludzie dostrzegli „Wędrowca do Świtu". Ławica ryb rozpierzchła się na wszystkie strony, bo teraz sami Morscy Ludzie ruszyli w górę, by zobaczyć, co to za wielka, czarna rzecz przesłoniła im słońce. Teraz byli już tak blisko powierzchni, że gdyby znajdowali się w powietrzu, a nie w wodzie, Łucja mogłaby do nich przemówić. W barwnej kawalkadzie byli mężczyźni i kobiety.

Wszyscy nosili coś w rodzaju diademów, a wielu miało na sobie sznury pereł. Ich ciała miały kolor starej kości słoniowej, ich włosy – barwę ciemnej purpury. Król znajdujący się w środku kawalkady (nie można było mieć wątpliwości co do tego, że właśnie on jest królem) spojrzał dumnie i wojowniczo w twarz Łucji i potrząsnął trzymaną w ręku włócznią. To samo uczynili jego rycerze. Łucja wyczuła, że ten morski ludek nigdy jeszcze nie widział okrętu i ludzi – jakże zresztą mógł ich widzieć tu, na tych morzach na Końcu Świata, dokąd nie dopłynął jeszcze żaden okręt?

– Czemu się tak przyglądasz, Łusiu? – rozległ się głos tuż nad nią.

Łucja była tak zapatrzona w to, co się działo pod wodą, że aż podskoczyła na dźwięk głosu, a kiedy się odwróciła, poczuła, że jej wsparta na balustradzie ręka całkowicie zdrętwiała. Za nią stali Edmund i Drinian.

– Popatrzcie! – powiedziała.

Spojrzeli w wodę, lecz prawie natychmiast Drinian rzekł przyciszonym głosem:

– Niech wasze królewskie mości szybko się odwrócą – o tak, plecami do morza. I nie dajcie po sobie poznać, że rozmawiamy o czymś ważnym.

– Dlaczego? O co chodzi? – zapytała Łucja, odwróciwszy się twarzą do pokładu.

– Za żadną cenę nie można dopuścić do tego, by marynarze zobaczyli TO WSZYSTKO – odpowiedział Drinian. – Mieliśmy już takich, co zakochali się w jakiejś rusałce lub też w całym tym podwodnym królestwie, i wyskoczyli za burtę. Słyszałem o takich rzeczach nie raz. Zobaczenie TYCH ludzi zawsze przynosi nieszczęście.

– Ale przecież my ich dobrze znaliśmy – powiedziała Łucja. – W dawnych czasach, na Ker-Paravelu, kiedy mój brat był Wielkim Królem. Wypływali na powierzchnię i śpiewali podczas naszej koronacji.

– Myślę, że musiał to być jakiś inny rodzaj Morskich Ludzi, Łusiu – odezwał się Edmund. – Tamci mogli przebywać nie tylko pod wodą, ale i na powietrzu. Wydaje mi się, że ci tutaj tego nie potrafią. Wystarczy tylko na nich popatrzeć: gdyby tylko mogli, już dawno wynurzyliby się z wody, aby nas zaatakować. Wyglądają bardzo wojowniczo.

– W każdym razie... – zaczął Drinian, lecz w tym samym momencie rozległy się dwa różne dźwięki. Jednym był plusk. Drugim okrzyk z pokładu marsa:

– Człowiek za burtą!

Za chwilę wszyscy mieli pełne ręce roboty. Część marynarzy wspięła się szybko na reję, by zwinąć żagiel, inni rzucili się na dół, by złapać za wiosła. Rins, który akurat trzymał wachtę przy sterze, wparł się w rumpel, by obrócić okręt i powrócić do miejsca, w którym człowiek wypadł za burtę. Ale teraz każdy już wiedział, że – mówiąc ściślej – nie był to człowiek. Był to Ryczypisk.

– A niech zaraza pochłonie tę mysz! – zawołał Drinian. – Więcej z nią kłopotu niż z resztą załogi razem wziętą. Kiedy tylko grożą jakieś tarapaty, zawsze musi w nie wpaść. Powinno się ją zakuć w łańcuchy… przeciągnąć pod okrętem z jednej burty do drugiej… wysadzić na bezludnej wyspie… obciąć jej wąsy! Czy ktoś widzi tego nicponia?

Wszystko to nie oznaczało, rzecz jasna, że Drinian naprawdę nie lubi Ryczypiska. Przeciwnie, lubił go bardzo i właśnie dlatego przestraszył się nie na żarty, a ten strach wprawił go w złość – tak jak mama jest o wiele bardziej zła na was, kiedy wbiegniecie na jezdnię, niż byłby ktoś nieznajomy. Nikt, oczywiście, nie bał się, że mysz pójdzie na dno, bo była świetnym pływakiem, ale Drinian, Łucja i Edmund, którzy wiedzieli, co się dzieje pod wodą, obawiali się długich, groźnych włóczni w rękach Morskich Ludzi.

Nie minęło pięć minut, gdy „Wędrowiec do Świtu" zatoczył koło i teraz już wszyscy wyraźnie widzieli na wodzie czarną plamkę, którą był Ryczypisk. Przez cały czas wykrzykiwał coś w najwyższym podnieceniu, ale nikt nie mógł zrozumieć, o co mu chodzi, bo woda wciąż zalewała mu pyszczek.

– Wygada się ze wszystkim, jeśli mu nie zamkniemy jadaczki! – jęknął Drinian. Aby temu zapobiec, skoczył do burty i sam spuścił linę, wołając do marynarzy: – W porządku, w porządku! Wracajcie na swoje miejsca. Mam nadzieję, że jeszcze potrafię wyciągnąć MYSZ bez waszej pomocy.

Kiedy Ryczypisk zaczął się już wspinać po linie (a nie robił tego zbyt szybko, bo nasiąknięte wodą futerko było bardzo ciężkie), Drinian wychylił się przez burtę i szepnął:

– Nic nie mów. Ani słowa.

Ale gdy ociekający wodą Ryczypisk stanął na pokładzie, okazało się, że Morscy Ludzie wcale go nie obchodzą.

– Słodka! – piszczał. – Słodka, słodka!

– O czym ty, do licha, mówisz? – przerwał mu Drinian. – I nie musisz się otrząsać akurat na MNIE.

– Mówię wam, że woda jest słodka – powiedziała mysz. – Słodka. Nie słona.

Przez chwilę nikt nie mógł pojąć, dlaczego ten szczegół wprawia Ryczypiska w takie podniecenie. I wtedy on sam powtórzył raz jeszcze starą przepowiednię:

> *Gdzie się niebo z wodą spotka,*
> *GDZIE SIĘ FALA ROBI SŁODKA,*
> *Ryczypisku, bez wątpienia*
> *spełnisz wszystkie swe pragnienia;*
> *tam jest Ostateczny Wschód.*

Dopiero teraz wszyscy zrozumieli.

— Daj mi wiadro, Rynelfie – powiedział Drinian.

Podano mu wiadro, które spuścił na linie, a potem wyciągnął z powrotem. Woda jaśniała w nim jak szkło.

— Może wasza królewska mość pragnie spróbować pierwszy? – rzekł do Kaspiana.

Król ujął wiadro w obie dłonie, zbliżył do ust, spróbował, a potem wypił kilka dużych łyków i podniósł głowę. Twarz miał zmienioną. Nie tylko oczy, ale wszystko w nim wydawało się jaśniejsze.

— Tak – powiedział. – Jest słodka. To chyba prawdziwa woda. Nie jestem pewien, czy to mnie nie zabije, ale i tak wybrałbym śmierć, nawet gdybym wiedział o tym wcześniej.

— Co masz na myśli? – zapytał Edmund.

— To... to bardziej przypomina światło niż cokolwiek innego – odrzekł Kaspian.

— I tym właśnie jest – powiedział Ryczypisk. – To jest pitne światło. Musimy być już bardzo blisko Końca Świata.

Przez chwilę panowało milczenie, a potem Łucja uklękła na pokładzie i napiła się z wiadra.

– To najwspanialsza rzecz, jaką kiedykolwiek piłam – powiedziała, z trudem łapiąc oddech. – Ale… och, to jest bardzo mocne! Teraz nie będziemy musieli nic JEŚĆ.

I jeden po drugim napili się wszyscy. Przez długi czas nikt nic nie mówił. Czuli się tak dobrze i silnie, że prawie nie mogli tego znieść. A potem zauważyli jeszcze jeden skutek. Jak już mówiłem, od czasu gdy opuścili wyspę Ramandu, było wciąż za dużo światła – słońce było za wielkie (chociaż nie było za gorące), morze zbyt jaskrawe, powietrze zbyt jaśniejące. Teraz owa nadzwyczajna jasność nie zmniejszyła się – jeżeli nie stała się jeszcze większa – ale to już im nie przeszkadzało. Mogli patrzeć prosto w słońce bez mrużenia oczu. Widzieli więcej światła niż kiedykolwiek przedtem. Cały pokład, żagiel, ich własne twarze i ciała – wszystko jaśniało coraz bardziej i bardziej. Każda lina lśniła niespotykanym blaskiem. A następnego ranka, gdy słońce wstało – teraz już pięć lub sześć razy większe niż w Narnii – wpatrywali się w nie długo, a kiedy pojawiły się białe ptaki, mogli dostrzec ich pióra na tle słonecznej tarczy.

Nikt nic nie mówił przez cały dzień, aż gdzieś w porze kolacji (nikt już nie chciał kolacji, od kiedy był nasycony wodą) Drinian powiedział:

– Nie mogę tego zrozumieć. Nie ma ani krzty wiatru. Żagiel martwo opadł. Morze jest płaskie jak sadzawka. A jednak płyniemy tak szybko, jakby nas gnała nawałnica.

– Ja też się nad tym zastanawiałem – rzekł Kaspian. – Musiał nas pochwycić jakiś potężny prąd.

– Hm... – mruknął Edmund. – Jeżeli świat ma rzeczywiście jakąś krawędź, nie byłoby to najprzyjemniejsze...

– Masz na myśli – powiedział Kaspian – że możemy po prostu, hm... przelać się przez nią?

– Tak! Tak! – zawołał Ryczypisk, klaszcząc w łapy.

– Tak to sobie zawsze wyobrażałem... świat jak wielki okrągły stół i wody wszystkich oceanów przelewające się bez końca przez krawędź. Okręt spadnie dziobem w dół... przekręci się do góry nogami... przez chwilę zobaczymy samą krawędź... a potem w dół, w dół... szybkość, pęd...

– A co, według ciebie, będzie nas czekać na samym dole, hę? – przerwał mu Drinian.

– Może kraina Aslana – odpowiedziała mysz, a oczy jej płonęły. – Albo może nie ma tam żadnego dna. Może to idzie w dół bez końca. Ale cokolwiek tam jest, warto poświęcić wszystko, aby choć przez chwilę spojrzeć poza krawędź świata.

– Ależ dajcie spokój – powiedział Eustachy – przecież to wszystko bzdury. Świat jest okrągły – to znaczy kulisty jak piłka, a nie jak stół.

– NASZ świat taki jest – rzekł Edmund. – Ale czy TEN również?

– Czy mam przez to rozumieć – powiedział Kaspian – że wy troje pochodzicie z okrągłego świata... okrągłego jak piłka? I nigdy mi o tym nie powiedzieliście! To naprawdę bardzo nieładnie z waszej strony.

Mamy w Narnii wiele bajek, w których mówi się o takich okrągłych światach i zawsze strasznie mi się to podobało. Nigdy nie wierzyłem, że one naprawdę istnieją, ale zawsze chciałem, aby tak było. I zawsze pragnąłem żyć na jednym z nich. Och, oddałbym wszystko... Zastanawiam się, dlaczego wy możecie dostać się do naszego świata, a my nie możemy wejść do waszego? Gdybym tylko miał szansę! To musi być niesamowite, żyć na takiej piłce. Czy byliście kiedykolwiek w tej jej części, gdzie ludzie chodzą głowami na dół?

Edmund potrząsnął głową.

– To wcale nie jest tak – powiedział. – Nie ma nic szczególnego w kulistym świecie, jeśli się tam jest.

ROZDZIAŁ 16

Na samym Końcu Świata

RYCZYPISK BYŁ JEDYNĄ OSOBĄ (poza Drinianem, Łucją i Edmundem), która zauważyła Morskich Ludzi. Skoczył do morza natychmiast, kiedy tylko zobaczył, jak morski król potrząsa swoją włócznią, ponieważ uznał to za rodzaj wyzwania lub zagrożenia i chciał rozstrzygnąć sprawę tu i zaraz. Gdy odkrył, że woda jest słodka, z wrażenia zapomniał, po co skakał, a zanim sobie przypomniał, Łucja i Drinian wzięli go na stronę i ostrzegli, by nie wspominał o tym, co widział.

I tak nie musieli się już niczego obawiać, bo „Wędrowiec do Świtu" płynął teraz po morzu, które wyglądało na bezludne. Tylko Łucja zobaczyła raz jeszcze Morskich Ludzi, ale i to trwało krótko. Następnego dnia przez cały ranek płynęli po płyciźnie; dno morza było zarośnięte. Tuż przed południem Łucja ujrzała wielką ławicę ryb żerujących na wodorostach. Wszystkie pożywiały się jednostajnie i wszystkie płynęły wolno w jednym kierunku. „Zupełnie jak stado owiec", pomyślała. I nagle pośrodku tego stada ryb zobaczyła morską dziewczynkę mniej więcej w jej wieku – spokojną, nieco smutną, z czymś w rodzaju laski pasterskiej w ręku. Łucja była pewna, że dziewczynka jest pasterką, a ławica ryb jest stadem na pastwisku. Było tu bardzo płytko. I właśnie w tej chwili, gdy podmorska pasterka błądząca po płytkiej wodzie i Łucja przechylona przez burtę znalazły się naprzeciw siebie, dziewczynka podniosła głowę i spojrzała prosto w twarz Łucji. Żadna nie mogła wydobyć z siebie głosu, a morska dziewczynka natychmiast rzuciła się do tyłu, niknąc między wodorostami. Ale Łucja nigdy nie zapomniała jej twarzy. Pasterka nie wyglądała na przestraszoną lub rozgniewaną, jak król i jego orszak. Łucja polubiła ją i czuła, że ona polubiła ją także. W tej krótkiej chwili zostały w jakiś sposób przyjaciółkami. Nie wydaje się, by miały większą szansę na ponowne spotkanie – w tym świecie czy w jakimkolwiek innym. Ale jeśli się to kiedyś zdarzy, pobiegną ku sobie z otwartymi ramionami.

Po tym wydarzeniu „Wędrowiec do Świtu" płynął na wschód bez przeszkód przez wiele dni. Płynął przez wygładzone morze bez wiatru w żaglu i bez piany tryskającej spod dziobu. Z każdym dniem i z każdą godziną światło jaśniało coraz mocniej, lecz im to nie przeszkadzało. Nikt nic nie jadł, nikt nie spał i nikomu nie chciało się ani jeść, ani spać. Wyciągali z morza wiadra oślepiającej wody, mocniejszej niż wino i jakoś bardziej mokrej, bardziej płynnej niż zwykła woda, i w milczeniu przepijali do siebie wielkimi łykami. Jeden lub dwu marynarzy, którzy byli nieco starsi od innych, gdy podróż się zaczęła, teraz młodnieli z każdym dniem. Nie było na pokładzie nikogo, kto nie czułby radości i podniecenia, ale owa radość i podniecenie nie czyniły ich wcale skłonnymi do rozmów. Im dalej płynęli, tym mniej mówili, a jeśli już mówili, to prawie szeptem. Cichość Ostatniego Morza przenikała wszystkich do głębi.

— Mości kapitanie — rzekł pewnego dnia Kaspian do Driniana — co widzisz przed nami?

— Wasza królewska mość — odparł Drinian — widzę jakąś dziwną białość. Wszędzie wzdłuż horyzontu, od północy do południa, tak daleko jak sięgam wzrokiem, wszędzie jest coś bardzo białego.

— Ja też to widzę — rzekł Kaspian — i nie mam pojęcia, co to może być.

— Gdybyśmy byli na innej szerokości, najjaśniejszy panie — rzekł Drinian — powiedziałbym, że to lód. Ale to nie może być lód. Nie tutaj. Tak czy owak, lepiej zrobimy, jeśli każemy ludziom chwycić za wiosła i zmniejszymy trochę szybkość okrętu. Czymkolwiek to jest, nie chciałbym, abyśmy uderzyli w to z całą siłą.

Zrobili, jak radził Drinian, i płynęli dalej, coraz wolniej i wolniej. W miarę, jak się do niej zbliżali, dziwna białość nie wydawała się ani trochę mniej tajemnicza. Jeśli to był ląd, musiał być bardzo dziwnym lądem, bo powierzchnię miał tak gładką jak woda i na tym samym co morze poziomie. Kiedy się doń przybliżyli, Drinian nacisnął mocno rumpel i skierował dziób „Wędrowca do Świtu" na południe, tak że prąd znosił teraz okręt lewą burtą ku tajemniczej bieli, a następnie powiosłowali wzdłuż jej krawędzi. Zrobili przy tym ważne odkrycie: prąd miał tylko około czterdziestu stóp szerokości — reszta morza była martwa, jak sadzawka. Była to pocieszająca nowina dla załogi, która coraz częściej myślała o powrotnej drodze do kraju Ramandu; wiosłowanie cały czas pod prąd nie byłoby najprzyjemniejszym zajęciem. (Wyjaśnia to też, w jaki sposób owa podmorska pasterka znikła tak szybko za rufą. Po prostu nie znajdowała się wewnątrz prądu; gdyby w nim była, poruszałaby się na wschód z tą samą szybkością co okręt.)

Wciąż jednak nikt nie miał pojęcia, czym jest ta biała pustynia, i w końcu spuszczono łódź, aby to zbadać. Ci, którzy zostali na pokładzie „Wędrowca do Świtu", zobaczyli, jak łódź zanurza się w biel. Potem usłyszeli podniesione, pełne zdumienia głosy tych z łodzi, rozchodzące się daleko nad spokojną wodą. Po chwili zapanowała cisza. Stojący na dziobie łodzi Rynelf rzucał sondę. Za chwilę łódź zaczęła powracać. Wszyscy rzucili się do burty, by usłyszeć nowiny. Łódź pełna była czegoś białego.

– Lilie, wasza królewska mość! – zawołał Rynelf stojący na dziobie.

– CO takiego? – zapytał Kaspian.

– Kwitnące lilie wodne, wasza królewska mość – powtórzył Rynelf. – Takie same, jakie rosną w sadzawkach w Narnii.

– Patrzcie! – zawołała Łucja, która siedziała na rufie łodzi. Podniosła mokre ręce pełne białych płatków i szerokich, płaskich liści.

– Jaka głębokość, Rynelfie? – zapytał Drinian.

– Zabawna rzecz, kapitanie – odpowiedział Rynelf. – Wciąż jest głęboko. Trzy i pół sążnia.

– To nie mogą być prawdziwe lilie, w każdym razie to nie te, które my nazywamy liliami wodnymi – powiedział Eustachy.

Być może miał rację, ale były bardzo podobne. A kiedy po małej naradzie „Wędrowiec do Świtu" powrócił do prądu, a potem zaczął płynąć przez Jezioro Lilii albo Srebrne Morze (używali obu nazw, ale w końcu przyjęło się Srebrne Morze i ta nazwa widnieje na mapie Kaspiana), rozpoczęła się najdziwniejsza część ich podróży. Wkrótce otwarte morze było już tylko cienką granatową kreską na zachodniej części widnokręgu. Mieniąca się delikatnym złotem biel otaczała ich ze wszystkich stron, z wyjątkiem lśniącego pasa ciemnozielonej wody za rufą, gdzie okręt rozgarnął liliowe pole. Wszystko to przypominało bardzo krajobraz arktyczny, a gdyby ich oczy nie stały się tak bystre i mocne jak oczy sokołów, blask słońca na tym oceanie bieli – zwłaszcza wczesnym rankiem, gdy słońce było największe – byłby nie do zniesienia. A każdego wieczoru ta sama biel sprawiała, że dzień się wydłużał. Wydawało się, że liliowe pola nie mają końca. Dzień po dniu z tych dziesiątek i setek mil kwiatów unosił się zapach, którego nawet Łucja nie potrafiła opisać: słodki – tak, ale wcale nie usypiający i oszałamiający – świeży, dziki, niesamowity zapach, który zdawał się przenikać do mózgu i sprawiał, że każdy czuł się dość silny, by wbiec na jakąś górę lub walczyć ze słoniem.

– Czuję, że jeszcze trochę i nie wytrzymam tego zapachu – powiedziała Łucja do Kaspiana – a jednak nie chcę, by się skończył.

I Kaspian czuł to samo.

Sondowali dno bardzo często, ale minęło wiele dni, zanim głębokość zmniejszyła się i od tego czasu malała z każdym dniem. Wreszcie nadszedł czas, w którym musieli opuścić prąd, by odtąd posuwać się ostrożnie naprzód na wiosłach. Wkrótce stało się jasne, że „Wędrowiec do Świtu" nie może już płynąć dalej na wschód. Tylko zręczności sternika i wioślarzy zawdzięczali, że nie osiedli na mieliźnie.

– Opuścić szalupę! – zawołał Kaspian. – Zwołać wszystkich ludzi na pokład. Muszę do nich przemówić.

– Co on zamierza zrobić? – szepnął Eustachy do Edmunda. – Jest coś dziwnego w jego spojrzeniu.

– Myślę, że wszyscy wyglądamy tak samo – odparł Edmund.

Stanęli obok Kaspiana na pokładzie rufowym i wkrótce cała załoga zgromadziła się u stóp drabiny, aby wysłuchać mowy króla.

– Przyjaciele! – zaczął Kaspian. – Oto osiągnęliśmy cel naszej wyprawy. Wyjaśniliśmy, co się stało z siedmioma baronami, a skoro pan Ryczypisk przysiągł tu pozostać, to kiedy wrócicie na wyspę Ramandu, znajdziecie bez wątpienia baronów Reviliana, Argoza i Mavramorna przebudzonych z zaklętego snu. Tobie, lordzie Drinianie, powierzam ten okręt i nakazuję żeglować do Narnii tak szybko, jak tylko to będzie możliwe. A nade wszystko zabraniam lądowania na Wyspie Śmiertelnej Wody. Przekaż też mojemu regentowi, karłowi Zuchonowi, by rozdał wszystkim członkom tej załogi nagrody, które im obiecałem. Dobrze sobie na nie zasłużyli. A jeśli nie wrócę, jest moją wolą, by regent Zuchon, mistrz Kornelius i borsuk Truflogon oraz lord Drinian wybrali króla Narnii za zgodą...

– Ależ wasza królewska mość – przerwał mu Drinian – czyżbyś zrzekał się tronu?

– Udaję się w dalszą drogę z Ryczypiskiem, aby zobaczyć Koniec Świata – rzekł Kaspian.

Z pokładu głównego, na którym zgromadziła się cała załoga, rozległ się cichy pomruk przerażenia.

– Weźmiemy łódź – powiedział Kaspian. – Nie będzie wam potrzebna na tych spokojnych morzach, a na wyspie Ramandu zbudujecie sobie nową. A teraz...

– Kaspianie – odezwał się nagle Edmund stanowczo – nie możesz tego uczynić.

– Z całą pewnością – dodał Ryczypisk – wasza królewska mość nie może.

– Zaprawdę, nie – rzekł Drinian.

– Nie mogę? – powiedział Kaspian ostro, wyglądając przez chwilę zupełnie jak jego wuj Miraz.

– Niech mi wasza królewska mość raczy wybaczyć – rzekł Rynelf z dolnego pokładu – ale gdyby jeden z nas to uczynił, powiedziano by, że zdezerterował.

– Nawet biorąc pod uwagę twoją długą służbę, pozwalasz sobie na zbyt wiele, Rynelfie – powiedział Kaspian.

– Nie, panie! Rynelf ma całkowitą rację! – rzekł Drinian.

– Na grzywę Aslana! – zagrzmiał król. – Sądziłem, że jesteście moimi poddanymi, a nie wychowawcami.

– Ja nie jestem twoim poddanym – odezwał się Edmund – i mówię, że NIE MOŻESZ tego zrobić.

– Znowu to „nie możesz" – żachnął się Kaspian. – Czy zdajesz sobie sprawę, co chcesz przez to powiedzieć?

– Jeśli to zadowoli waszą królewską mość – powiedział Ryczypisk, kłaniając się nisko – to chcemy przez to powiedzieć, że tego NIE ZROBISZ. Jesteś królem Narnii. Jeśli nie wrócisz, uczynisz wielki zawód wszystkim swoim poddanym, a zwłaszcza Zuchonowi. Nie wolno ci cieszyć się gonitwą za przygodami, jakbyś był prywatną osobą. A jeśli wasza królewska mość nie usłucha głosu rozsądku, każdy człowiek na pokładzie tego okrętu da wyraz swej najprawdziwszej lojalności wobec swego króla, pomagając mi rozbroić cię i związać, aż do czasu, gdy odzyskasz zmysły.

– Tak jest – powiedział Edmund. – Tak, jak uczyniono z Odyseuszem, kiedy chciał rzucić się do morza za syrenami.

Kaspian już kładł dłoń na rękojeści miecza, gdy odezwała się Łucja:

– I przecież prawie przyrzekłeś córce Ramandu, że wrócisz.

Kaspian na moment znieruchomiał, a potem wybąkał:

– Hm… no tak. Rzeczywiście, to jest… – Przez jakąś minutę stał niezdecydowany, po czym powiedział głośno, zwracając się do wszystkich: – No cóż, wasze na wierzchu. Wyprawa skończona. Wszyscy wracamy. Wciągnijcie łódź.

– Panie – odezwał się Ryczypisk. – Nie WSZYSCY wracamy. Ja, jak już wyjaśniłem to wcześniej…

– Cisza! – zagrzmiał Kaspian. – Daliście mi lekcję, lecz niech mnie nikt nie prowokuje! Czy nikt nie może uciszyć tej myszy?!

– Miłościwy królu – mówił dalej Ryczypisk – przyrzekłeś być dobrym panem dla mówiących zwierząt w Narnii.

– Tak, dla mówiących zwierząt – zgodził się Kaspian. – Ale nie przyrzekałem niczego zwierzętom, które mówią bez przerwy! – I kipiąc gniewem, zszedł szybko po drabinie, po czym zniknął w sterówce, trzaskając drzwiami.

Ale kiedy inni weszli tam po jakimś czasie, znaleźli go w zupełnie odmiennym nastroju; był blady, a w oczach miał łzy.

– Na nic się zdało to wszystko! – powiedział. – Równie dobrze mogłem zachować się skromniej. Skutek byłby ten sam, i to bez mojego wzburzenia i zadzierania nosa. Aslan do mnie przemówił. Nie, to nie znaczy, że tu naprawdę był. I tak by się nie zmieścił w tej kajucie. Ale ta złota głowa Lwa na ścianie ożyła i przemówiła do mnie. To było straszne… te oczy. Nie mówię, że był srogi… tylko trochę surowy, na początku. Ale i tak to było okropne. Powiedział… powiedział… och, nie mogę tego znieść. Najgorsze, co mógł powiedzieć. Wy macie pójść dalej. Ryczypisk,

Edmund, Łucja i Eustachy. Ja mam wrócić. Sam. I to zaraz. I co z tego wszystkiego wyszło?

– Kaspianie, kochany mój – powiedziała Łucja. – Przecież wiedziałeś, że wcześniej czy później musimy wrócić do naszego świata.

– Tak – rzekł Kaspian, tłumiąc łkanie – ale to się dzieje wcześniej, niż myślałem.

– Kiedy wrócisz na wyspę Ramandu, poczujesz się lepiej – dodała Łucja.

Nieco później nabrał trochę otuchy, ale dla obu stron było to smutne rozstanie; nie będę się nad nim dłużej rozwodził. Około drugiej po południu napełniona prowiantem i wodą łódź (chociaż byli przekonani, że jedzenie i picie nie będą im potrzebne), z czółnem Ryczypiska na pokładzie, odbiła od „Wędrowca do Świtu", aby powiosłować przez niekończący się dywan z lilii. Na okręcie wywieszono wszystkie flagi i tarcze, aby im oddać honory. Stąd, z łodzi otoczonej ze wszystkich stron liliami, „Wędrowiec do Świtu" wydał się im niezwykle wysoki, potężny i bardzo swojski. Zanim znikł im z oczu, zobaczyli, jak robi zwrot i zaczyna powoli sunąć na zachód. Ale chociaż Łucja uroniła kilka łez, nie czuła się wcale tak źle, jak można się było spodziewać. Niezwykła jasność, cisza, ostry, przenikliwy zapach Srebrnego Morza, nawet (w pewien niezwykły sposób) samo uczucie osamotnienia – wszystko to było również fascynujące.

Nie musieli wiosłować, bo prąd niósł ich nieustannie na wschód. Żadne z nich nie spało i nie jadło. Przez całą noc i przez cały następny dzień łódź sunęła równomiernie na wschód, a kiedy nastał świt trzeciego dnia – z taką jasnością, że ani wy, ani ja nie bylibyśmy w stanie jej znieść, nawet w ciemnych okularach – zobaczyli przed sobą dziw nad dziwy. Było tak, jakby między nimi a niebem wyrosła ściana – zielonoszara, migocząca ściana. A kiedy wzeszło słońce, ujrzeli je poprzez tę ścianę rozjarzone cudownie wszystkimi barwami tęczy. Teraz zobaczyli, że ściana była w rzeczywistości długą, wysoką falą – falą zatrzymaną w ruchu w jednym miejscu, jak to można często zaobserwować na krawę-

dzi wodospadu. Wydawało się, że ma ze sto metrów wysokości. I właśnie ku tej fali niósł ich wartki prąd. Można było oczekiwać, że pomyślą o grożącym im niebezpieczeństwie. Ale nie. Nie sądzę, by w ich sytuacji ktokolwiek o tym pomyślał. Bo oto teraz zobaczyli coś nie tylko poza ową falą, ale i POZA słońcem. Gdyby ich wzrok nie został tak cudownie wzmocniony wodą Ostatniego Morza, nie zobaczyliby nawet samego słońca. Ale teraz mogli patrzeć na wschodzące słońce i widzieć je wyraźnie, i widzieć także to, co było za nim. A tam – na wschodzie, poza słońcem – ujrzeli pasmo gór. Były tak wysokie, że albo nigdy nie zobaczyli ich szczytów, albo o tym zapomnieli. Żadne z nich nie zapamiętało, czy po tamtej stronie widać było niebo. A góry musiały być naprawdę poza światem. Jakiekolwiek inne góry, nawet gdyby miały choćby tylko jedną piątą ich wysokości, pokrywałby lód i śniegi. Te jednak były zielone i ciepłe, pokryte lasami i poznaczone wodospadami tak wysoko, jak tylko można było sięgnąć wzrokiem. I nagle ze wschodu uderzył powiew wiatru, strzępiąc szczyt wielkiej fali w pieniste języory i wichrząc gładką dotąd wodę wokół łodzi. Trwało to zaledwie sekundę, ale tego, co ów podmuch wiatru przyniósł ze sobą, żadne z trojga dzieci nigdy już nie zapomniało. Przyniósł zapach i dźwięk – dźwięk muzyki. Edmund i Eustachy nigdy o tym później nie chcieli mówić. Łucja potrafiła tylko powiedzieć: „To było takie, jakby mi miało za chwilę pęknąć serce!" Zapytałem ją wtedy: „To było takie smutne?" „Smutne? O nie!" – odpowiedziała Łucja.

Nikt w łodzi nie miał wątpliwości, że tam, poza Końcem Świata, widzieli wówczas Krainę Aslana.

W tym momencie rozległ się zgrzyt i łódź oparła się dnem o piasek. Było za płytko, aby płynąć dalej.

– To jest miejsce – powiedział Ryczypisk – z którego popłynę dalej już sam.

Nie próbowali go zatrzymywać, bo teraz wszystko zdawało się nieuchronne lub – jakby już raz się zdarzyło. Pomogli mu spuścić na wodę jego małe czółno. Potem zdjął rapier („Nie będzie mi już więcej potrzebny", oświadczył) i rzucił go daleko, w liliowe morze. Rapier wbił się ostrzem w dno, a jego rękojeść widać było pośród kwiatów. Wreszcie pożegnał się z nimi, starając się mieć przy tym smutną minę, ale tak naprawdę, to cały aż dygotał ze szczęścia. Łucja – po raz pierwszy i ostatni w życiu – zrobiła to, co chciała zrobić zawsze: wzięła go w ramiona i mocno przytuliła. Potem chwycił wiosło i szybko wskoczył do czółna, a prąd pochwycił je natychmiast i uniósł ze sobą – czarną plamkę na tle białych lilii. Ale na wodnej ścianie nie było już lilii: wyglądała jak gładkie, zielone zbocze. Czółno nabierało coraz większej szybkości, aż wreszcie wspięło się z łatwością na zbocze gigantycznej fali. Przez ułamek sekundy widzieli jego zarys z Ryczypiskiem na samym szczycie. A potem znikło i od tego czasu nikt nie może powiedzieć, że właśnie widział gdzieś Ryczypiska, waleczną mysz, jeśli nie chce mijać się z prawdą. Co do mnie, to wierzę, że dotarł szczęśliwie do Krainy Aslana i żyje tam do dziś.

Kiedy słońce się podniosło, widok górskiego pasma po tamtej stronie zbladł i w końcu znikł zupełnie. Wielka fala pozostała, lecz poza nią widać było tylko błękitne niebo.

Dzieci wyszły z łodzi i zaczęły brodzić w wodzie – nie w kierunku fali, lecz na południe, z wodną ścianą po lewej ręce. Nie potrafiłyby powiedzieć, dlaczego tak zrobiły: było to ich przeznaczeniem. A chociaż na pokładzie „Wędrowca do Świtu" czuły się – i były –

bardzo dorosłe, teraz coś się zmieniło. Schwyciły się za ręce, brnąc przez liliowe pola. Zapomniały o zmęczeniu. Woda była ciepła i z każdym krokiem stawała się płytsza. Wreszcie stanęły na suchym piasku, potem na trawie – na rozległej równinie wspaniałej, krótkiej trawy, rosnącej prawie na poziomie Srebrnego Morza i rozciągającej się idealnie gładko w każdym kierunku.

Kiedy się jest na takiej idealnie płaskiej równinie, zawsze WYDAJE SIĘ, że niebo przed nami opada, by połączyć się z trawą. Tak było i teraz. A jednak, kiedy tak szli i szli zieloną równiną, odnieśli dziwne wrażenie, że tutaj niebo naprawdę opada i łączy się z ziemią.

Przed nimi wznosiła się błękitna ściana, bardzo jasna, lecz prawdziwa i masywna, bardziej przypominająca szkło niż cokolwiek innego. Wkrótce byli już tego pewni.

Ale między nimi a podnóżem nieba na zielonej trawie jarzyło się coś tak białego, że nawet ich sokole oczy z trudem na to patrzyły. Podeszli bliżej i zobaczyli białe jagnię.

– Chodźcie, śniadanie czeka – powiedziało jagnię swoim słodkim, mlecznym głosem.

Teraz dopiero dostrzegli ognisko płonące na trawie i piekące się na nim ryby. Usiedli i jedli te ryby, odczuwając głód po raz pierwszy od wielu dni. A było to najwspanialsze jedzenie, jakim kiedykolwiek się sycili.

– Powiedz nam, jagniątko – zapytała Łucja – czy tędy wiedzie droga do Krainy Aslana?

– Nie dla was – odpowiedziało jagnię. – Dla was drzwi do Krainy Aslana są w waszym własnym świecie.

– Co?! – zawołał Edmund. – To z naszego świata też jest droga do Krainy Aslana?

– Do mojego kraju można się dostać z każdego świata – powiedziało jagnię, a kiedy to powiedziało, jego śnieżna biel rozkwitła w ciemne złoto, jego rozmiary zmieniły się nagle i stało się samym Aslanem, wznoszącym się nad nimi i rozsiewającym światło z płomienistej grzywy.

– Och, Aslanie – powiedziała Łucja – czy powiesz nam, jak dostać się do twojego kraju z naszego świata?

– Będę wam o tym mówił przez cały czas – rzekł Aslan. – Ale nie powiem wam, jak długa czy jak krótka będzie to droga. Powiem wam tylko, że biegnie przez rzekę. Ale nie lękajcie się tego, bo ja jestem Wielkim Budowniczym Mostów. A teraz chodźcie, otworzę bramę w niebie i poślę was do waszego kraju.

– Aslanie, mam prośbę – powiedziała Łucja. – Zanim pójdziemy, powiedz nam, kiedy znowu wrócimy do Narnii? Proszę cię, Aslanie. I... och, zrób tak, żebyśmy na to długo nie czekali.

– Moja najmilsza – powiedział Aslan łagodnie – ty i twój brat już nigdy nie wrócicie do Narnii.

– Och, ASLANIE! – zawołali równocześnie Edmund i Łucja, głosami pełnymi rozpaczy.

– Jesteście już za dorośli – rzekł Aslan – i musicie teraz zacząć przybliżać się bardziej do waszego świata.

– Tu nie chodzi o Narnię, wiesz przecież – łkała Łucja. – Tu chodzi o CIEBIE. Nie spotkamy CIEBIE. A jak mamy żyć, nigdy już ciebie nie spotykając?

– Ależ spotkasz mnie jeszcze, kochanie – powiedział Aslan.

– Czy ty... czy tam jesteś również, panie? – zapytał Edmund.

– Jestem – rzekł Aslan. – Ale tam noszę inne imię. Musicie mnie rozpoznać pod tym imieniem. Właśnie dlatego zaprowadzono was do Narnii. Przez to, że poznaliście mnie trochę tutaj, będziecie mogli poznać mnie lepiej tam.

– A czy Eustachy też nigdy tutaj nie wróci? – zapytała Łucja.

— Moje dziecko — powiedział Aslan — czy naprawdę musisz to wiedzieć? Chodźcie, otwieram wam bramę w niebie.

A potem wszystko wydarzyło się w jednym momencie: rozwarcie się niebieskiej ściany (jak kurtyna), straszliwe białe światło spoza nieba, muśnięcie grzywy Aslana i jego pocałunek na czole, a potem — powrót do sypialni w domu ciotki Alberty w Cambridge.

Trzeba jeszcze tylko powiedzieć o dwu sprawach. Jedna dotyczy dalszych losów „Wędrowca do Świtu". Kaspian i jego ludzie dotarli bezpiecznie na wyspę Ramandu, a trzej baronowie przebudzili się z zaczarowanego snu. Kaspian poślubił córkę Ramandu, z którą powrócił w końcu do Narnii, gdzie została wielką królową, matką i babką wielkich królów. Druga sprawa dotyczy Eustachego. Wkrótce wszyscy zaczęli podziwiać, jak bardzo zmienił się na lepsze, jak „trudno jest poznać, że to ten sam chłopiec". Wszyscy — prócz ciotki Alberty, która stwierdziła, że zrobił się okropnie pospolity i nudny i że to na pewno skutek przebywania z rodzeństwem Pevensie.

Spis rozdziałów